6 학년이 ✓ 꼭 알아야 한

사고력 연산

밑줄쫙!

저자

왕수학연구소장 **박명전**

- 기초 연산 능력 증진
- 사고를 통한 연산 능력 증진
- 사고력과 연산 능력 향상의 이중 효과

www.왕수학.com

6학년이 꼭 ✔ 알아야 한 사고력연산

사고력연산 구성

◎ 1~2학년은 각각 1권씩, 3~6학년은 각각 2권씩으로 구성되어 있습니다.

◎ **개념** 연산의 기초개념과 원리를 다루었습니다.

◎ (사고력 기르기) **Step 1** 약간의 사고를 필요로 하는 연산 문제를 다루었습니다.

◎ (사고력 기르기) **Step 2** 좀 더 발전적인 사고를 필요로 하는 연산 문제를 다루었습니다.

◎ (실력 점검) 한 단원을 마무리하는 문제를 다루었습니다.

사고력연산 특징

● 연산의 원리를 알고 계산할 수 있도록 구성하였습니다.

● 기초 연산 능력을 충분히 키울 수 있도록 구성하였습니다.

● 연산 능력과 사고력 향상이 동시에 이루어질 수 있는 문제를 다루었습니다.

● 사고를 통해 연산을 하는 과정에서 연산 능력이 저절로 향상될 수 있도록 구성하였습니다.

차례

Contents

사고력연산

6학년

·01 (자연수)÷(자연수)를 분수로 나타내기, (진분수)÷(자연수)의 계산

1. (자연수)÷(자연수)를 분수로 나타내기

▲÷■의 몫을 분수로 나타내면 $\dfrac{▲}{■}$입니다.

⑩ $2 \div 5 = \dfrac{2}{5}$ $4 \div 3 = \dfrac{4}{3} = 1\dfrac{1}{3}$

2. (진분수)÷(자연수)의 계산

• 분자가 자연수의 배수일 때 분자를 자연수로 나눕니다.

$$\dfrac{4}{5} \div 2 = \dfrac{4 \div 2}{5} = \dfrac{2}{5}$$

• 분자가 자연수의 배수가 아닐 때 크기가 같은 분수 중에서 분자가 자연수의 배수인 수로 바꾸어 계산합니다.

$$\dfrac{5}{7} \div 3 = \dfrac{5 \times 3}{7 \times 3} \div 3 = \dfrac{15}{21} \div 3 = \dfrac{15 \div 3}{21} = \dfrac{5}{21}$$

 그림을 보고 □ 안에 알맞은 수를 써넣으시오. (01~02)

01

0 ──────────────── 1

$1 \div 5 = \dfrac{□}{□}$

02

0 ──────────────── 1

0 ──────────────── 1

$2 \div 3 = \dfrac{□}{□}$

 □ 안에 알맞은 수를 써넣으시오. (03~08)

03 $1 \div 8 = \dfrac{□}{□}$

04 $1 \div 9 = \dfrac{□}{□}$

05 $3 \div 7 = \dfrac{□}{□}$

06 $4 \div 13 = \dfrac{□}{□}$

07 $8 \div 3 = \dfrac{□}{□} = □\dfrac{□}{□}$

08 $15 \div 7 = \dfrac{□}{□} = □\dfrac{□}{□}$

□ 안에 알맞은 수를 써넣으시오. (09~12)

09 $\dfrac{6}{7} \div 2 = \dfrac{6 \div \boxed{}}{7} = \dfrac{\boxed{}}{7}$

10 $\dfrac{9}{13} \div 3 = \dfrac{9 \div \boxed{}}{13} = \dfrac{\boxed{}}{13}$

11 $\dfrac{4}{5} \div 3 = \dfrac{4 \times \boxed{}}{5 \times 3} \div 3 = \dfrac{\boxed{}}{15} \div 3 = \dfrac{\boxed{} \div 3}{15} = \dfrac{\boxed{}}{15}$

12 $\dfrac{7}{12} \div 4 = \dfrac{7 \times \boxed{}}{12 \times 4} \div 4 = \dfrac{\boxed{}}{48} \div 4 = \dfrac{\boxed{} \div 4}{48} = \dfrac{\boxed{}}{48}$

 계산을 하시오. (13~20)

13 $\dfrac{4}{9} \div 2$

14 $\dfrac{8}{11} \div 4$

15 $\dfrac{9}{10} \div 3$

16 $\dfrac{15}{17} \div 5$

17 $\dfrac{5}{6} \div 2$

18 $\dfrac{7}{9} \div 4$

19 $\dfrac{7}{13} \div 5$

20 $\dfrac{17}{20} \div 4$

사고력 기르기

 □ 안에 알맞은 자연수를 써넣으시오. (01~14)

01
$$6 \div \boxed{} = \frac{2}{3}$$

02
$$12 \div \boxed{} = \frac{3}{5}$$

03
$$20 \div \boxed{} = \frac{5}{8}$$

04
$$16 \div \boxed{} = \frac{4}{9}$$

05
$$\boxed{} \div 8 = 1\frac{5}{8}$$

06
$$\boxed{} \div 12 = 2\frac{7}{12}$$

07
$$\boxed{} \div 15 = 1\frac{14}{15}$$

08
$$\boxed{} \div 18 = 3\frac{1}{18}$$

09
$$\frac{4}{5} \div \boxed{} = \frac{2}{5}$$

10
$$\frac{9}{11} \div \boxed{} = \frac{3}{11}$$

11
$$\frac{9}{25} \div \boxed{} = \frac{9}{50}$$

12
$$\frac{5}{12} \div \boxed{} = \frac{5}{48}$$

13
$$\frac{5}{38} \div \boxed{} = \frac{1}{76}$$

14
$$\frac{8}{41} \div \boxed{} = \frac{2}{123}$$

주어진 두 식이 성립할 때 💙와 ☆에 알맞은 자연수를 각각 구하시오. (15~21)

15

$$♡ \div 7 = 1\frac{2}{7} \qquad \frac{♡}{16} \div ☆ = \frac{3}{16}$$

♡ = ☐ ☆ = ☐

16

$$♡ \div 5 = 1\frac{3}{5} \qquad \frac{♡}{15} \div ☆ = \frac{2}{15}$$

♡ = ☐ ☆ = ☐

17

$$12 \div ♡ = 1\frac{1}{3} \qquad \frac{♡}{10} \div ☆ = \frac{3}{10}$$

♡ = ☐ ☆ = ☐

18

$$28 \div ♡ = 4\frac{2}{3} \qquad \frac{♡}{25} \div ☆ = \frac{3}{50}$$

♡ = ☐ ☆ = ☐

19

$$\frac{10}{21} \div ♡ = \frac{2}{21} \qquad \frac{♡}{18} \div ☆ = \frac{1}{36}$$

♡ = ☐ ☆ = ☐

20

$$\frac{12}{35} \div ♡ = \frac{3}{35} \qquad \frac{♡}{27} \div ☆ = \frac{1}{54}$$

♡ = ☐ ☆ = ☐

21

$$\frac{14}{45} \div ♡ = \frac{7}{180} \qquad \frac{♡}{63} \div ☆ = \frac{2}{189}$$

♡ = ☐ ☆ = ☐

사고력 기르기

 주어진 식을 성립시키는 여러 가지 식을 만들어 보시오. (단, ♥와 △는 각각 두 자리 수입니다.) (01~02)

01

$$\heartsuit \div \triangle = 2\frac{3}{5}$$

$\square \div \square = 2\frac{3}{5}$　　$\square \div \square = 2\frac{3}{5}$　　$\square \div \square = 2\frac{3}{5}$

$\square \div \square = 2\frac{3}{5}$　　$\square \div \square = 2\frac{3}{5}$　　$\square \div \square = 2\frac{3}{5}$

02

$$\heartsuit \div \triangle = 1\frac{5}{9}$$

$\square \div \square = 1\frac{5}{9}$　　$\square \div \square = 1\frac{5}{9}$　　$\square \div \square = 1\frac{5}{9}$

$\square \div \square = 1\frac{5}{9}$　　$\square \div \square = 1\frac{5}{9}$　　$\square \div \square = 1\frac{5}{9}$

 주어진 식이 성립할 때 ♥가 될 수 있는 자연수를 모두 구하시오. (03~06)

03
$$\frac{7}{10} \div \heartsuit > \frac{1}{8}$$

(　　　　　　　　)

04
$$\frac{5}{12} \div \heartsuit > \frac{1}{10}$$

(　　　　　　　　)

05
$$\frac{8}{15} \div \heartsuit > \frac{3}{20}$$

(　　　　　　　　)

06
$$\frac{11}{24} \div \heartsuit > \frac{2}{27}$$

(　　　　　　　　)

주어진 식에서 ♡에 알맞은 자연수를 구하시오. (07~10)

07

$$\frac{8}{13} \div ♥ \div ♥ = \frac{2}{13}$$

♥ = ☐

08

$$\frac{27}{59} \div ♥ \div ♥ = \frac{3}{59}$$

♥ = ☐

09

$$\frac{80}{87} \div ♥ \div ♥ = \frac{5}{87}$$

♥ = ☐

10

$$\frac{245}{253} \div ♥ \div ♥ = \frac{5}{253}$$

♥ = ☐

 다음은 (진분수)÷(자연수)의 계산입니다. ♡와 ☆에 알맞은 자연수를 각각 구하시오. (단, 주어진 식에서 진분수는 기약분수입니다.) (11~16)

11

$$\frac{♥}{5} \div ☆ = \frac{3}{20}$$

♥ = ☐   ☆ = ☐

12

$$\frac{♥}{8} \div ☆ = \frac{5}{24}$$

♥ = ☐   ☆ = ☐

13

$$\frac{♥}{9} \div ☆ = \frac{5}{36}$$

♥ = ☐   ☆ = ☐

14

$$\frac{♥}{7} \div ☆ = \frac{3}{35}$$

♥ = ☐   ☆ = ☐

또는 ♥ = ☐   ☆ = ☐

15

$$\frac{♥}{15} \div ☆ = \frac{4}{45}$$

♥ = ☐   ☆ = ☐

또는 ♥ = ☐   ☆ = ☐

16

$$\frac{♥}{16} \div ☆ = \frac{3}{32}$$

♥ = ☐   ☆ = ☐

또는 ♥ = ☐   ☆ = ☐

또는 ♥ = ☐   ☆ = ☐

 □ 안에 알맞은 수를 써넣으시오. (01~08)

01 $1 \div 10 = \dfrac{\square}{\square}$

02 $5 \div 7 = \dfrac{\square}{\square}$

03 $10 \div 11 = \dfrac{\square}{\square}$

04 $15 \div 4 = \dfrac{\square}{\square} = \square \dfrac{\square}{\square}$

05 $\dfrac{8}{9} \div 2 = \dfrac{8 \div \square}{9} = \dfrac{\square}{9}$

06 $\dfrac{4}{7} \div 2 = \dfrac{4 \div \square}{7} = \dfrac{\square}{7}$

07 $\dfrac{5}{6} \div 4 = \dfrac{5 \times \square}{6 \times 4} \div 4 = \dfrac{\square}{24} \div 4 = \dfrac{\square \div 4}{24} = \dfrac{\square}{24}$

08 $\dfrac{7}{10} \div 3 = \dfrac{7 \times \square}{10 \times 3} \div 3 = \dfrac{\square}{30} \div 3 = \dfrac{\square \div 3}{30} = \dfrac{\square}{30}$

 계산을 하시오. (09~16)

09 $\dfrac{10}{13} \div 5$

10 $\dfrac{9}{11} \div 3$

11 $\dfrac{5}{7} \div 3$

12 $\dfrac{7}{8} \div 2$

13 $\dfrac{2}{5} \div 7$

14 $\dfrac{6}{7} \div 4$

15 $\dfrac{9}{14} \div 6$

16 $\dfrac{11}{15} \div 2$

 □ 안에 알맞은 수를 써넣으시오. (17~20)

17 $10 \div \boxed{} = \dfrac{5}{6}$

18 $\boxed{} \div 8 = 2\dfrac{1}{8}$

19 $\dfrac{24}{25} \div \boxed{} = \dfrac{4}{25}$

20 $\dfrac{9}{14} \div \boxed{} = \dfrac{9}{56}$

 주어진 두 식이 성립할 때 ♥와 ☆에 알맞은 자연수를 각각 구하시오. (21~22)

21
$$♥ \div 6 = 1\dfrac{1}{6} \qquad \dfrac{♥}{15} \div ☆ = \dfrac{7}{30}$$

♥ = $\boxed{}$ ☆ = $\boxed{}$

22
$$10 \div ♥ = 3\dfrac{1}{3} \qquad \dfrac{♥}{11} \div ☆ = \dfrac{1}{22}$$

♥ = $\boxed{}$ ☆ = $\boxed{}$

 주어진 식이 성립할 때 ▨가 될 수 있는 자연수를 모두 구하시오. (23~24)

23
$$\dfrac{4}{5} \div ▨ > \dfrac{1}{5}$$

(   )

24
$$\dfrac{10}{17} \div ▨ > \dfrac{2}{17}$$

(   )

 다음은 (진분수)÷(자연수)의 계산입니다. ♥와 ☆에 알맞은 자연수를 각각 구하시오. (단, 주어진 식에서 진분수는 기약분수입니다.) (25~26)

25
$$\dfrac{♥}{5} \div ☆ = \dfrac{4}{15}$$

♥ = $\boxed{}$ ☆ = $\boxed{}$

26
$$\dfrac{♥}{10} \div ☆ = \dfrac{3}{20}$$

♥ = $\boxed{}$ ☆ = $\boxed{}$ 또는   ♥ = $\boxed{}$ ☆ = $\boxed{}$

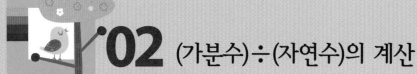

02 (가분수)÷(자연수)의 계산

개념

- 분자가 자연수의 배수일 때 분자를 자연수로 나눕니다.

$$\frac{6}{5} \div 2 = \frac{6 \div 2}{5} = \frac{3}{5}$$

- 분자가 자연수의 배수가 아닐 때 (가분수)÷(자연수)는 (가분수)$\times \frac{1}{(자연수)}$로 고쳐서 계산합니다.

$$\frac{8}{3} \div 5 = \frac{8}{3} \times \frac{1}{5} = \frac{8}{15}$$

 □ 안에 알맞은 수를 써넣으시오. (01~04)

01 $\frac{8}{5} \div 2 = \frac{8 \div \square}{5} = \frac{\square}{5}$

02 $\frac{9}{7} \div 3 = \frac{9 \div \square}{7} = \frac{\square}{7}$

03 $\frac{12}{11} \div 3 = \frac{12 \div \square}{11} = \frac{\square}{11}$

04 $\frac{15}{4} \div 5 = \frac{15 \div \square}{4} = \frac{\square}{4}$

 □ 안에 알맞은 수를 써넣으시오. (05~06)

05 $\frac{8}{3} \div 3$은 $\frac{8}{3}$을 똑같이 3으로 나눈 것 중의 하나입니다.

이것은 $\frac{8}{3}$의 $\frac{\square}{\square}$이므로 $\frac{8}{3} \times \frac{\square}{\square}$입니다.

따라서 $\frac{8}{3} \div 3 = \frac{8}{3} \times \frac{\square}{\square} = \frac{\square}{\square}$입니다.

06 $\frac{9}{5} \div 4$는 $\frac{9}{5}$를 똑같이 4로 나눈 것 중의 하나입니다.

이것은 $\frac{9}{5}$의 $\frac{\square}{\square}$이므로 $\frac{9}{5} \times \frac{\square}{\square}$입니다.

따라서 $\frac{9}{5} \div 4 = \frac{9}{5} \times \frac{\square}{\square} = \frac{\square}{\square}$입니다.

□ 안에 알맞은 수를 써넣으시오. (07~10)

07 $\dfrac{7}{4} \div 2 = \dfrac{7}{4} \times \dfrac{\square}{\square} = \dfrac{\square}{\square}$

08 $\dfrac{6}{5} \div 5 = \dfrac{6}{5} \times \dfrac{\square}{\square} = \dfrac{\square}{\square}$

09 $\dfrac{8}{3} \div 5 = \dfrac{8}{3} \times \dfrac{\square}{\square} = \dfrac{\square}{\square}$

10 $\dfrac{7}{2} \div 4 = \dfrac{7}{2} \times \dfrac{\square}{\square} = \dfrac{\square}{\square}$

 보기 와 같이 계산하시오. (11~12)

보기
$$\dfrac{12}{5} \div 8 = \dfrac{12}{5} \times \dfrac{1}{8} = \dfrac{12}{40} = \dfrac{3}{10}$$

11 $\dfrac{14}{9} \div 6$ _____

12 $\dfrac{30}{11} \div 12$ _____

 계산을 하시오. (13~20)

13 $\dfrac{9}{4} \div 3$

14 $\dfrac{24}{5} \div 6$

15 $\dfrac{11}{3} \div 4$

16 $\dfrac{10}{9} \div 4$

17 $\dfrac{16}{15} \div 3$

18 $\dfrac{8}{5} \div 9$

19 $\dfrac{14}{3} \div 5$

20 $\dfrac{9}{4} \div 7$

□ 안에 알맞은 자연수를 써넣으시오. (01~14)

01
$$\frac{9}{5} \div \square = \frac{3}{5}$$

02
$$\frac{30}{7} \div \square = \frac{5}{7}$$

03
$$\frac{25}{12} \div \square = \frac{5}{12}$$

04
$$\frac{39}{17} \div \square = \frac{13}{17}$$

05
$$\frac{48}{25} \div \square = \frac{12}{125}$$

06
$$\frac{52}{19} \div \square = \frac{4}{57}$$

07
$$\frac{64}{27} \div \square = \frac{8}{81}$$

08
$$\frac{88}{31} \div \square = \frac{8}{93}$$

09
$$\frac{\square}{13} \div 17 = \frac{3}{13}$$

10
$$\frac{\square}{20} \div 9 = \frac{7}{20}$$

11
$$\frac{\square}{11} \div 6 = \frac{6}{11}$$

12
$$\frac{\square}{18} \div 7 = \frac{7}{18}$$

13
$$\frac{\square}{16} \div 38 = \frac{3}{32}$$

14
$$\frac{\square}{23} \div 30 = \frac{14}{115}$$

주어진 두 식이 성립할 때 ♥와 ☆에 알맞은 자연수를 각각 구하시오. (15~21)

15

$$\frac{8}{5} \div ♥ = \frac{2}{5} \qquad \frac{9}{♥} \div ☆ = \frac{1}{4}$$

♥ = ☐   ☆ = ☐

16

$$\frac{10}{9} \div ♥ = \frac{5}{9} \qquad \frac{51}{♥} \div ☆ = 8\frac{1}{2}$$

♥ = ☐   ☆ = ☐

17

$$\frac{36}{7} \div ♥ = \frac{6}{7} \qquad \frac{55}{♥} \div ☆ = 1\frac{5}{6}$$

♥ = ☐   ☆ = ☐

18

$$\frac{87}{12} \div ♥ = 2\frac{5}{12} \qquad \frac{14}{♥} \div ☆ = 2\frac{1}{3}$$

♥ = ☐   ☆ = ☐

19

$$\frac{45}{8} \div ♥ = \frac{9}{32} \qquad \frac{81}{♥} \div ☆ = 1\frac{7}{20}$$

♥ = ☐   ☆ = ☐

20

$$\frac{35}{6} \div ♥ = \frac{7}{36} \qquad \frac{77}{♥} \div ☆ = \frac{7}{30}$$

♥ = ☐   ☆ = ☐

21

$$\frac{90}{13} \div ♥ = \frac{9}{52} \qquad \frac{129}{♥} \div ☆ = 1\frac{3}{40}$$

♥ = ☐   ☆ = ☐

사고력 기르기

 다음은 (가분수)÷(자연수)의 계산입니다. ☆이 1보다 큰 한 자리 수일 때 식을 성립시키는 여러 가지 경우를 만들어 보시오. (단, 주어진 식에서 가분수는 기약분수입니다.) (01~04)

01

$$\frac{\heartsuit}{5} \div \star = \frac{4}{5} \qquad \frac{\square}{5} \div \square = \frac{4}{5}$$

$$\frac{\square}{5} \div \square = \frac{4}{5} \qquad \frac{\square}{5} \div \square = \frac{4}{5} \qquad \frac{\square}{5} \div \square = \frac{4}{5}$$

$$\frac{\square}{5} \div \square = \frac{4}{5} \qquad \frac{\square}{5} \div \square = \frac{4}{5} \qquad \frac{\square}{5} \div \square = \frac{4}{5}$$

02

$$\frac{\heartsuit}{12} \div \star = \frac{5}{12}$$

$$\frac{\square}{12} \div \square = \frac{5}{12} \qquad \frac{\square}{12} \div \square = \frac{5}{12}$$

03

$$\frac{\heartsuit}{21} \div \star = \frac{8}{21}$$

$$\frac{\square}{21} \div \square = \frac{8}{21} \qquad \frac{\square}{21} \div \square = \frac{8}{21} \qquad \frac{\square}{21} \div \square = \frac{8}{21}$$

04

$$\frac{\heartsuit}{7} \div \star = \frac{9}{14} \qquad \frac{\square}{7} \div \square = \frac{9}{14}$$

$$\frac{\square}{7} \div \square = \frac{9}{14} \qquad \frac{\square}{7} \div \square = \frac{9}{14} \qquad \frac{\square}{7} \div \square = \frac{9}{14}$$

다음은 (가분수)÷(자연수)의 계산입니다. ☆이 1이 아닌 자연수일 때 ☆이 될 수 있는 수를 모두 구하고 ☐ 안에 알맞은 수를 써넣으시오. (단, 주어진 식에서 가분수는 기약분수입니다.)

(05~08)

05
$$\dfrac{12}{☆} \div 4 = \dfrac{☐}{☆}$$

(   )

06
$$\dfrac{15}{☆} \div 5 = \dfrac{☐}{☆}$$

(   )

07
$$\dfrac{18}{☆} \div 3 = \dfrac{☐}{☆}$$

(   )

08
$$\dfrac{20}{☆} \div 10 = \dfrac{☐}{☆}$$

(   )

 주어진 식에서 ♥와 ☆은 각각 자연수입니다. ♥와 ☆에 알맞은 자연수를 구하시오. (단, 계산 결과에서 분수 부분은 기약분수입니다.) (09~14)

09
$$\dfrac{15}{7} \div ♥ = 1\dfrac{☆}{14}$$

♥ = ☐   ☆ = ☐

10
$$\dfrac{40}{9} \div ♥ = 1\dfrac{☆}{27}$$

♥ = ☐   ☆ = ☐

11
$$\dfrac{83}{15} \div ♥ = 1\dfrac{☆}{60}$$

♥ = ☐   ☆ = ☐

12
$$\dfrac{91}{16} \div ♥ = 1\dfrac{☆}{80}$$

♥ = ☐   ☆ = ☐

13
$$\dfrac{58}{11} \div ♥ = 1\dfrac{☆}{22}$$

♥ = ☐   ☆ = ☐

14
$$\dfrac{82}{13} \div ♥ = 1\dfrac{☆}{26}$$

♥ = ☐   ☆ = ☐

 □ 안에 알맞은 수를 써넣으시오. (01~05)

01 $\dfrac{10}{9} \div 5 = \dfrac{10 \div \square}{9} = \dfrac{\square}{9}$

02 $\dfrac{9}{4} \div 3 = \dfrac{9 \div \square}{4} = \dfrac{\square}{4}$

03 $\dfrac{11}{7} \div 4$는 $\dfrac{11}{7}$을 똑같이 4로 나눈 것 중의 하나입니다.

이것은 $\dfrac{11}{7}$의 $\dfrac{\square}{\square}$이므로 $\dfrac{11}{7} \times \dfrac{\square}{\square}$입니다.

따라서 $\dfrac{11}{7} \div 4 = \dfrac{11}{7} \times \dfrac{\square}{\square} = \dfrac{\square}{\square}$입니다.

04 $\dfrac{13}{6} \div 3 = \dfrac{13}{6} \times \dfrac{\square}{\square} = \dfrac{\square}{\square}$

05 $\dfrac{17}{8} \div 5 = \dfrac{17}{8} \times \dfrac{\square}{\square} = \dfrac{\square}{\square}$

 계산을 하시오. (06~13)

06 $\dfrac{8}{7} \div 4$

07 $\dfrac{18}{5} \div 9$

08 $\dfrac{13}{5} \div 5$

09 $\dfrac{10}{3} \div 4$

10 $\dfrac{19}{8} \div 4$

11 $\dfrac{16}{7} \div 8$

12 $\dfrac{19}{14} \div 2$

13 $\dfrac{17}{15} \div 3$

 □ 안에 알맞은 수를 써넣으시오. (14~17)

14 $\dfrac{12}{7} \div \square = \dfrac{4}{7}$

15 $\dfrac{\square}{8} \div 7 = \dfrac{5}{8}$

16 $\dfrac{14}{9} \div \square = \dfrac{7}{27}$

17 $\dfrac{\square}{10} \div 9 = \dfrac{7}{30}$

 주어진 두 식이 성립할 때 ♥와 ☆에 알맞은 자연수를 각각 구하시오. (18~19)

18
$$\dfrac{9}{4} \div ♥ = \dfrac{3}{4} \qquad \dfrac{8}{♥} \div ☆ = \dfrac{4}{9}$$
♥ = □   ☆ = □

19
$$\dfrac{12}{7} \div ♥ = \dfrac{12}{35} \qquad \dfrac{14}{♥} \div ☆ = \dfrac{14}{15}$$
♥ = □   ☆ = □

20 (가분수)÷(자연수)의 계산입니다. △가 1보다 큰 한 자리 수일 때 식을 성립시키는 여러 가지 경우를 만들어 보시오. (단, 주어진 식에서 가분수는 기약분수입니다.)

$$\dfrac{\blacksquare}{8} \div △ = \dfrac{3}{8} \qquad\qquad \dfrac{\square}{8} \div \square = \dfrac{3}{8}$$

$$\dfrac{\square}{8} \div \square = \dfrac{3}{8} \qquad \dfrac{\square}{8} \div \square = \dfrac{3}{8} \qquad \dfrac{\square}{8} \div \square = \dfrac{3}{8}$$

 주어진 식에서 ♥와 ☆은 각각 자연수입니다. ♥와 ☆에 알맞은 자연수를 구하시오.

(21~22)

21
$$\dfrac{14}{5} \div ♥ = 1\dfrac{☆}{5}$$

♥ = □   ☆ = □

22
$$\dfrac{39}{11} \div ♥ = 1\dfrac{☆}{11}$$

♥ = □   ☆ = □

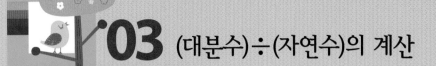

03 (대분수)÷(자연수)의 계산

개념

- $1\dfrac{3}{4} \div 2$의 계산

  방법 ① 대분수를 가분수로 바꾼 후 크기가 같은 분수 중 분자가 자연수의 배수인 수로 바꾸어 계산합니다.

  $$1\dfrac{3}{4} \div 2 = \dfrac{7}{4} \div 2 = \dfrac{7 \times 2}{4 \times 2} \div 2 = \dfrac{14}{8} \div 2 = \dfrac{7}{8}$$

  방법 ② 대분수를 가분수로 바꾼 후 분수의 곱셈으로 나타내어 계산합니다.

  $$1\dfrac{3}{4} \div 2 = \dfrac{7}{4} \div 2 = \dfrac{7}{4} \times \dfrac{1}{2} = \dfrac{7}{8}$$

- 검산하기

  나눗셈의 몫에 나누는 수를 곱하면 나누어지는 수가 되어야 합니다.

  $$1\dfrac{3}{4} \div 2 = \dfrac{7}{8} \Rightarrow \boxed{\text{검산}} \quad \dfrac{7}{8} \times 2 = \dfrac{14}{8} = 1\dfrac{6}{8} = 1\dfrac{3}{4}$$

□ 안에 알맞은 수를 써넣으시오. (01~02)

01 $\quad 2\dfrac{2}{5} \div 3 = \dfrac{\boxed{}}{5} \div 3 = \dfrac{\boxed{} \div 3}{5} = \dfrac{\boxed{}}{5}$

02 $\quad 1\dfrac{7}{8} \div 4 = \dfrac{\boxed{}}{8} \div 4 = \dfrac{\boxed{} \times 4}{8 \times 4} \div 4 = \dfrac{\boxed{}}{32} \div 4 = \dfrac{\boxed{}}{32}$

□ 안에 알맞은 수를 써넣으시오. (03~04)

03 $\quad 2\dfrac{7}{9} \div 3 = \dfrac{\boxed{}}{9} \div 3 = \dfrac{\boxed{}}{9} \times \dfrac{\boxed{}}{\boxed{}} = \dfrac{\boxed{}}{\boxed{}}$

04 $\quad 7\dfrac{2}{3} \div 6 = \dfrac{\boxed{}}{3} \div 6 = \dfrac{\boxed{}}{3} \times \dfrac{\boxed{}}{\boxed{}} = \dfrac{\boxed{}}{\boxed{}} = \boxed{}\dfrac{\boxed{}}{\boxed{}}$

(대분수)÷(자연수)를 계산하고 검산하려고 합니다. □ 안에 알맞은 수를 써넣으시오.

(05~06)

05 계산 $1\dfrac{2}{3} \div 4 = \dfrac{\square}{3} \div 4 = \dfrac{\square}{3} \times \dfrac{1}{\square} = \dfrac{\square}{\square}$

결과 $1\dfrac{2}{3} \div 4 = \dfrac{\square}{\square}$ ➡ 검산 $\dfrac{\square}{\square} \times 4 = 1\dfrac{2}{3}$

06 계산 $1\dfrac{5}{6} \div 7 = \dfrac{\square}{6} \div 7 = \dfrac{\square}{6} \times \dfrac{1}{\square} = \dfrac{\square}{\square}$

결과 $1\dfrac{5}{6} \div 7 = \dfrac{\square}{\square}$ ➡ 검산 $\dfrac{\square}{\square} \times 7 = 1\dfrac{5}{6}$

계산을 하시오. (07~16)

07 $2\dfrac{1}{3} \div 4$

08 $3\dfrac{4}{5} \div 7$

09 $1\dfrac{3}{5} \div 9$

10 $1\dfrac{1}{5} \div 15$

11 $1\dfrac{1}{8} \div 10$

12 $1\dfrac{5}{9} \div 7$

13 $2\dfrac{3}{4} \div 6$

14 $6\dfrac{3}{8} \div 3$

15 $8\dfrac{1}{7} \div 5$

16 $6\dfrac{3}{10} \div 3$

  □ 안에 알맞은 자연수를 써넣으시오. (01~14)

01
$$5\frac{2}{9} \div \square = 1\frac{20}{27}$$

02
$$10\frac{3}{7} \div \square = 1\frac{31}{42}$$

03
$$12\frac{5}{12} \div \square = 1\frac{65}{84}$$

04
$$20\frac{11}{15} \div \square = 2\frac{41}{135}$$

05
$$42\frac{\square}{8} \div 7 = 6\frac{1}{8}$$

06
$$50\frac{\square}{13} \div 20 = 2\frac{139}{260}$$

07
$$8\frac{\square}{10} \div 3 = 2\frac{9}{10}$$

08
$$20\frac{\square}{9} \div 7 = 2\frac{59}{63}$$

09
$$30\frac{\square}{12} \div 5 = 6\frac{1}{12}$$

10
$$24\frac{\square}{15} \div 4 = 6\frac{1}{15}$$

11
$$28\frac{\square}{20} \div 9 = 3\frac{3}{20}$$

12
$$36\frac{\square}{11} \div 5 = 7\frac{4}{11}$$

13
$$14\frac{4}{9} \div \square = 2\frac{11}{27}$$

14
$$15\frac{3}{7} \div \square = 1\frac{13}{14}$$

보기 와 같은 방법으로 나눗셈을 해 보시오. (15~20)

보기

$$20\frac{4}{5} \div 4 = (20 \div 4) + \left(\frac{4}{5} \div 4\right) = 5 + \frac{1}{5} = 5\frac{1}{5}$$

15
$$15\frac{5}{9} \div 5$$

16
$$20\frac{4}{7} \div 5$$

17
$$18\frac{3}{8} \div 4$$

18
$$24\frac{5}{12} \div 7$$

19
$$34\frac{13}{15} \div 8$$

20
$$45\frac{9}{20} \div 6$$

 다음은 (대분수)÷(자연수)의 계산입니다. ♥와 ☆에 알맞은 자연수를 각각 구하시오.

(01~06)

01

$$2\frac{♥}{5} \div ☆ = \frac{13}{30}$$

♥ = ☐   ☆ = ☐

02

$$3\frac{♥}{8} \div ☆ = \frac{29}{32}$$

♥ = ☐   ☆ = ☐

03

$$10\frac{♥}{7} \div ☆ = 3\frac{4}{7}$$

♥ = ☐   ☆ = ☐

04

$$12\frac{♥}{9} \div ☆ = 2\frac{4}{9}$$

♥ = ☐   ☆ = ☐

05

$$6\frac{♥}{20} \div ☆ = 2\frac{3}{20}$$

♥ = ☐   ☆ = ☐

06

$$14\frac{♥}{12} \div ☆ = 1\frac{1}{24}$$

♥ = ☐   ☆ = ☐

 주어진 식에서 ▨와 △가 나타내는 자연수를 구하여 다음을 계산하시오. (단, 주어진 식의 계산 결과는 대분수입니다.) (07~09)

07

$$2\frac{5}{6} \div ▨ = 1\frac{△}{12}$$ ➡ $▨\frac{3}{△} \div 4$

08

$$15\frac{3}{8} \div ▨ = 2\frac{△}{56}$$ ➡ $▨\frac{10}{△} \div 3$

09

$$20\frac{7}{9} \div ▨ = 4\frac{△}{45}$$ ➡ $▨\frac{5}{△} \div 8$

주어진 식에서 💜와 ☆은 1이 아닌 자연수입니다. 식을 성립시키는 여러 가지 경우를 만들어 보시오. (10~13)

10

$$1\frac{5}{7} \div 💜 = \frac{☆}{7} \qquad 1\frac{5}{7} \div \square = \frac{\square}{7}$$

$$1\frac{5}{7} \div \square = \frac{\square}{7} \qquad 1\frac{5}{7} \div \square = \frac{\square}{7} \qquad 1\frac{5}{7} \div \square = \frac{\square}{7}$$

11

$$1\frac{7}{11} \div 💜 = \frac{☆}{11} \qquad 1\frac{7}{11} \div \square = \frac{\square}{11}$$

$$1\frac{7}{11} \div \square = \frac{\square}{11} \qquad 1\frac{7}{11} \div \square = \frac{\square}{11} \qquad 1\frac{7}{11} \div \square = \frac{\square}{11}$$

12

$$2\frac{2}{9} \div 💜 = \frac{☆}{9} \qquad 2\frac{2}{9} \div \square = \frac{\square}{9}$$

$$2\frac{2}{9} \div \square = \frac{\square}{9} \qquad 2\frac{2}{9} \div \square = \frac{\square}{9} \qquad 2\frac{2}{9} \div \square = \frac{\square}{9}$$

13

$$2\frac{10}{13} \div 💜 = \frac{☆}{13} \qquad 2\frac{10}{13} \div \square = \frac{\square}{13}$$

$$2\frac{10}{13} \div \square = \frac{\square}{13} \qquad 2\frac{10}{13} \div \square = \frac{\square}{13} \qquad 2\frac{10}{13} \div \square = \frac{\square}{13}$$

$$2\frac{10}{13} \div \square = \frac{\square}{13} \qquad 2\frac{10}{13} \div \square = \frac{\square}{13} \qquad 2\frac{10}{13} \div \square = \frac{\square}{13}$$

실력 점검

 ☐ 안에 알맞은 수를 써넣으시오. (01~04)

01 $3\dfrac{2}{3} \div 2 = \dfrac{\boxed{}}{3} \div 2 = \dfrac{\boxed{} \times 2}{3 \times 2} \div 2 = \dfrac{\boxed{}}{6} \div 2 = \dfrac{\boxed{}}{6} = \boxed{}\dfrac{\boxed{}}{6}$

02 $1\dfrac{1}{15} \div 3 = \dfrac{\boxed{}}{15} \div 3 = \dfrac{\boxed{} \times 3}{15 \times 3} \div 3 = \dfrac{\boxed{}}{45} \div 3 = \dfrac{\boxed{}}{45}$

03 $2\dfrac{3}{8} \div 3 = \dfrac{\boxed{}}{8} \div 3 = \dfrac{\boxed{}}{8} \times \dfrac{1}{\boxed{}} = \dfrac{\boxed{}}{\boxed{}}$

04 $6\dfrac{1}{7} \div 4 = \dfrac{\boxed{}}{7} \div 4 = \dfrac{\boxed{}}{7} \times \dfrac{1}{\boxed{}} = \dfrac{\boxed{}}{\boxed{}} = \boxed{}\dfrac{\boxed{}}{\boxed{}}$

 계산을 하시오. (05~14)

05 $1\dfrac{7}{8} \div 5$

06 $2\dfrac{2}{9} \div 4$

07 $3\dfrac{7}{8} \div 2$

08 $3\dfrac{7}{9} \div 2$

09 $7\dfrac{4}{5} \div 3$

10 $4\dfrac{7}{10} \div 3$

11 $3\dfrac{2}{3} \div 4$

12 $6\dfrac{5}{12} \div 7$

13 $5\dfrac{5}{13} \div 10$

14 $9\dfrac{3}{8} \div 5$

 □ 안에 알맞은 수를 써넣으시오. (15~18)

15 $2\dfrac{3}{4} \div \boxed{} = \dfrac{11}{16}$

16 $2\dfrac{7}{9} \div \boxed{} = \dfrac{5}{9}$

17 $6\dfrac{2}{5} \div \boxed{} = 1\dfrac{1}{15}$

18 $8\dfrac{4}{7} \div \boxed{} = 1\dfrac{5}{7}$

 보기 와 같은 방법으로 계산을 하시오. (19~20)

보기
$$9\dfrac{3}{4} \div 3 = (9 \div 3) + \left(\dfrac{3}{4} \div 3\right) = 3 + \dfrac{1}{4} = 3\dfrac{1}{4}$$

19 $8\dfrac{3}{5} \div 4$

20 $10\dfrac{2}{7} \div 2$

21 주어진 식에서 ♥와 ☆은 1이 아닌 자연수입니다. 식을 성립시키는 여러 가지 경우를 만들어 보시오.

$$1\dfrac{7}{9} \div ♥ = \dfrac{☆}{9}$$

$1\dfrac{7}{9} \div \boxed{} = \dfrac{\boxed{}}{9}$ $1\dfrac{7}{9} \div \boxed{} = \dfrac{\boxed{}}{9}$ $1\dfrac{7}{9} \div \boxed{} = \dfrac{\boxed{}}{9}$

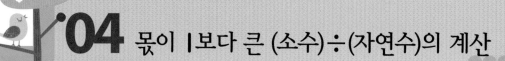

·04 몫이 1보다 큰 (소수)÷(자연수)의 계산

개념

· 3.75÷3의 계산

방법·1 분수의 나눗셈으로 고쳐서 계산하기

$$3.75÷3=\frac{375}{100}÷3=\frac{375÷3}{100}=\frac{125}{100}=1.25$$

방법·2 자연수의 나눗셈을 이용하여 계산하기

$\frac{1}{100}$배$\left(\begin{array}{c}375÷3=125\\3.75÷3=1.25\end{array}\right)\frac{1}{100}$배

$$3)\overline{375} \Rightarrow 3)\overline{3.75}$$

```
    125              1.25
  3)375            3)3.75
    3                3
    ─                ─
    7                7
    6                6
    ─                ─
    15               15
    15               15
    ──               ──
    0                0
```

몫의 소수점은 나누어지는 수의 소수점을 올려 찍습니다.

 ☐ 안에 알맞은 수를 써넣으시오. (01~06)

01 77÷7=11

➡ 7.7÷7= ☐

02 84÷4=21

➡ 8.4÷4= ☐

03 369÷3=123

➡ 3.69÷3= ☐

04 966÷3=322

➡ 9.66÷3= ☐

05 $8.4÷6=\frac{☐}{10}÷6=\frac{☐÷6}{10}=\frac{☐}{10}=$ ☐

06 $17.42÷13=\frac{☐}{100}÷13=\frac{☐÷13}{100}=\frac{☐}{100}=$ ☐

□ 안에 알맞은 수를 써넣으시오. (07~10)

07

$$5\,)\overline{6\ .\ 5}$$

몫: □.□
□
1 5
□
0

08

$$7\,)\overline{1\ 6\ .\ 1}$$

몫: □.□
□
2 1
□
0

09

$$2\,)\overline{7\ .\ 2\ 8}$$

몫: □.□□
□
1 2
□
8
□
0

10

$$4\,)\overline{8\ .\ 5\ 2}$$

몫: □.□□
□
5
□
1 2
□
0

계산을 하시오. (11~19)

11 $6\,)\overline{7.8}$

12 $8\,)\overline{9.6}$

13 $7\,)\overline{2\ 5.2}$

14 $3\,)\overline{7.1\ 4}$

15 $4\,)\overline{5.2\ 8}$

16 $9\,)\overline{1\ 9.3\ 5}$

17 $9\,)\overline{4\ 7.1\ 6}$

18 $12\,)\overline{3\ 0.7\ 2}$

19 $25\,)\overline{3\ 1.7\ 5}$

사고력 기르기

Step 1

 ☐ 안에 알맞은 숫자를 써넣어 나눗셈식을 완성하시오. (01~06)

01
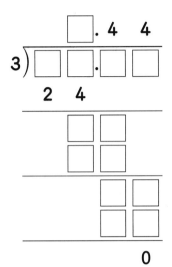

02
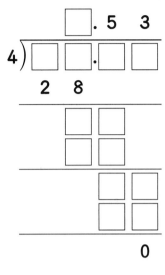

03

04

05

06
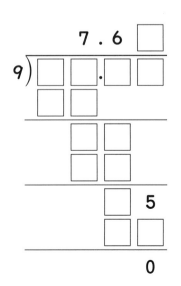

주어진 숫자 카드 4장을 모두 사용하여 몫이 1보다 크고 소수 두 자리 수가 되는 여러 가지 나눗셈식을 만들어 계산해 보시오. (07~08)

07

| 2 | 4 | 6 | 9 |

$\square\,\overline{)\,\square.\square\square}$

$\square\,\overline{)\,\square.\square\square}$ $\square\,\overline{)\,\square.\square\square}$ $\square\,\overline{)\,\square.\square\square}$

$\square\,\overline{)\,\square.\square\square}$ $\square\,\overline{)\,\square.\square\square}$ $\square\,\overline{)\,\square.\square\square}$

08

| 4 | 5 | 6 | 9 |

$\square\,\overline{)\,\square.\square\square}$ $\square\,\overline{)\,\square.\square\square}$ $\square\,\overline{)\,\square.\square\square}$

 주어진 나눗셈식에서 💜와 ☆에 알맞은 숫자를 각각 구하시오. (01~02)

01

$$
\begin{array}{r}
2.53 \\
\text{☆}\,)\,\overline{\text{💜 ☆ . ☆ 💜}}
\end{array}
$$

💜 = ☐   ☆ = ☐

02

$$
\begin{array}{r}
1\,0.45 \\
\text{💜}\,)\,\overline{\text{💜 ☆ . ☆ 💜}}
\end{array}
$$

💜 = ☐   ☆ = ☐

03 다음 나눗셈식을 성립시키는 여러 가지 나눗셈식을 만들어 보시오. (단, 같은 모양은 같은 숫자입니다.)

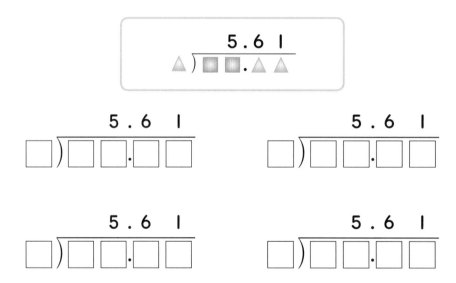

$$
\begin{array}{r}
5.61 \\
\text{▲}\,)\,\overline{\text{■ ■ . ▲ ▲}}
\end{array}
$$

$$
\begin{array}{r}
5.61 \\
\text{☐}\,)\,\overline{\text{☐ ☐ . ☐ ☐}}
\end{array}
\qquad
\begin{array}{r}
5.61 \\
\text{☐}\,)\,\overline{\text{☐ ☐ . ☐ ☐}}
\end{array}
$$

$$
\begin{array}{r}
5.61 \\
\text{☐}\,)\,\overline{\text{☐ ☐ . ☐ ☐}}
\end{array}
\qquad
\begin{array}{r}
5.61 \\
\text{☐}\,)\,\overline{\text{☐ ☐ . ☐ ☐}}
\end{array}
$$

 ☐ 안에 1부터 5까지의 자연수를 모두 써넣어 나눗셈식을 완성하시오. (04~05)

04

$$
\begin{array}{r}
3.38 \\
\text{☐}\,)\,\overline{\text{☐ ☐ . ☐}}
\end{array}
$$

05

$$
\begin{array}{r}
4.75 \\
\text{☐}\,)\,\overline{\text{☐ ☐ . ☐}}
\end{array}
$$

☐ 안에 알맞은 숫자를 써넣어 식을 완성하시오. (06~07)

06
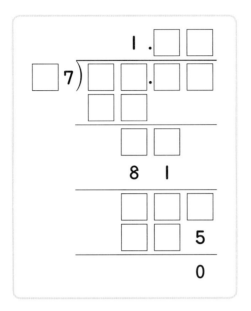

07
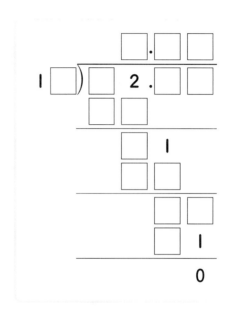

 ☐ 안에 1부터 5까지의 자연수를 모두 써넣어 식을 완성하시오. (08~13)

08
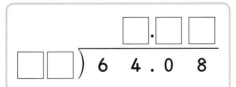

09
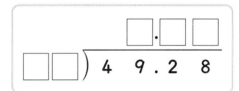

10
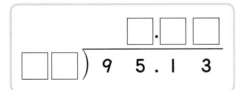

11
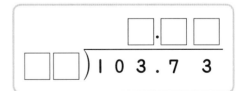

12
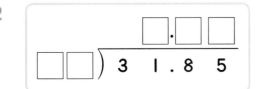

13
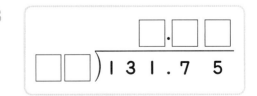

실력 점검

 ☐ 안에 알맞은 수를 써넣으시오. (01~05)

01 246÷2=123

➡ 2.46÷2=☐

02 396÷3=132

➡ 3.96÷3=☐

03 12.96÷8=☐/100÷8=☐÷8/100=☐/100=☐

04

```
      ☐.☐☐
  4) 9 . 2 8
     ☐
     ─────
     1 2
     ☐☐
     ─────
         8
        ☐
     ─────
         0
```

05

```
      ☐.☐☐
  6) 2 1 . 3 6
     ☐☐
     ─────
     3 3
     ☐☐
     ─────
       3 6
      ☐☐
     ─────
         0
```

 계산을 하시오. (06~14)

06 8)11.2

07 9)20.7

08 4)21.2

09 3)4.17

10 7)22.26

11 6)19.02

12 11)43.01

13 12)47.16

14 17)31.45

 ☐ 안에 알맞은 숫자를 써넣어 나눗셈을 완성하시오. (15~18)

15

```
      □ . 2 3
   4 )□ □ . □
     1 6
         □
         □
       ─────
         □ □
         □ □
       ─────
           0
```

16

```
      □ . 3 7
   5 )□ □ . □
     4 0
         □ □
         □ □
       ─────
         □ □
         □ □
       ─────
           0
```

17

```
      4 . □ 2
   7 )□ □ . □
     □ □
       □ □
       ─────
       6 □
       ─────
         □ □
         □ □
       ─────
           0
```

18

```
      6 . 4 □
   8 )□ . □ □
     □ □
       ─────
       □ □
       □ □
       ─────
         □ 8
         □ □
       ─────
           0
```

19 다음 나눗셈식을 성립시키는 여러 가지 나눗셈식을 만들어 보시오. (단, 같은 모양은 같은 숫자입니다.)

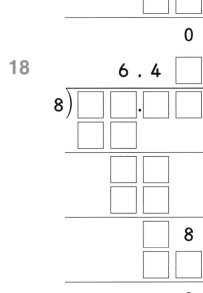

```
        6 . 0 6
   □ )□ □ . □ □
```

```
        6 . 0 6
   □ )□ □ . □ □
```

```
        6 . 0 6
   □ )□ □ . □ □
```

```
        6 . 0 6
   □ )□ □ . □ □
```

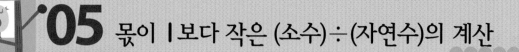

05 몫이 1보다 작은 (소수)÷(자연수)의 계산

개념

• 1.56÷3의 계산

방법 1 분수의 나눗셈으로 고쳐서 계산하기

$$1.56 \div 3 = \frac{156}{100} \div 3 = \frac{156 \div 3}{100} = \frac{52}{100} = 0.52$$

방법 2 자연수의 나눗셈을 이용하여 계산하기

$\frac{1}{100}$배$\left(\begin{array}{l}156 \div 3 = 52 \\ 1.56 \div 3 = 0.52\end{array}\right)\frac{1}{100}$배

$$\begin{array}{r} 52 \\ 3\overline{)156} \\ 15 \\ \hline 6 \\ 6 \\ \hline 0 \end{array}$$ ➡ $$\begin{array}{r} 0.52 \\ 3\overline{)1.56} \\ 15 \\ \hline 6 \\ 6 \\ \hline 0 \end{array}$$

몫의 소수점은 나누어지는 수의 소수점을 올려 찍고 자연수 부분이 비어 있을 경우 일의 자리에 0을 씁니다.

 ☐ 안에 알맞은 수를 써넣으시오. (01~06)

01 $64 \div 8 = 8$

➡ $6.4 \div 8 = \boxed{}$

02 $81 \div 9 = 9$

➡ $8.1 \div 9 = \boxed{}$

03 $126 \div 7 = 18$

➡ $1.26 \div 7 = \boxed{}$

04 $552 \div 6 = 92$

➡ $5.52 \div 6 = \boxed{}$

05 $6.5 \div 13 = \dfrac{\boxed{}}{10} \div 13 = \dfrac{\boxed{} \div 13}{10} = \dfrac{\boxed{}}{10} = \boxed{}$

06 $5.67 \div 9 = \dfrac{\boxed{}}{100} \div 9 = \dfrac{\boxed{} \div 9}{100} = \dfrac{\boxed{}}{100} = \boxed{}$

07

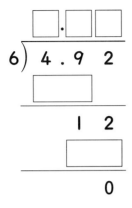

08

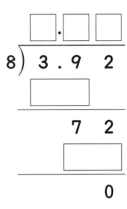

09

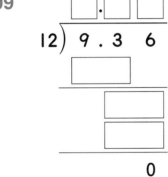

10

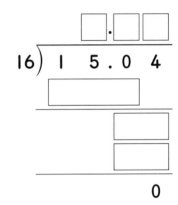

 계산을 하시오. (11~19)

11 $3\overline{)0.7\,5}$

12 $4\overline{)3.8\,4}$

13 $9\overline{)1.0\,8}$

14 $11\overline{)9.3\,5}$

15 $14\overline{)3.6\,4}$

16 $15\overline{)4.3\,5}$

17 $16\overline{)6.7\,2}$

18 $17\overline{)9.1\,8}$

19 $28\overline{)2\,7.1\,6}$

 ☐ 안에 알맞은 숫자를 써넣어 나눗셈식을 완성하시오. (01~04)

01

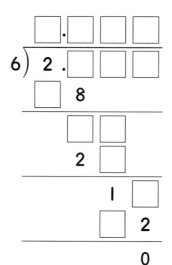

02

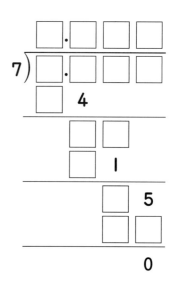

03

04

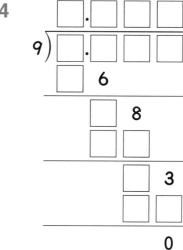

주어진 나눗셈식에서 ♡에 알맞은 숫자를 구하시오. (05~08)

05

$$0.999 \div ♡ = 0.♡♡♡$$

( )

06

$$1.776 \div ♡ = 0.♡♡♡$$

( )

07

$$3.996 \div ♡ = 0.♡♡♡$$

( )

08

$$7.104 \div ♡ = 0.♡♡♡$$

( )

주어진 식에서 ♥가 될 수 있는 숫자를 모두 구하시오. (09~14)

09

$$0.♥7 > 4.98 \div 6$$

(   )

10

$$0.♥8 > 5.25 \div 7$$

(   )

11

$$0.♥2 > 5.67 \div 9$$

(   )

12

$$0.♥3 > 6.56 \div 8$$

(   )

13

$$0.♥4 > 7.56 \div 12$$

(   )

14

$$0.♥9 > 8.85 \div 15$$

(   )

주어진 식에서 ♥와 ☆에 알맞은 숫자를 각각 구하시오. (단, ♥ > 0입니다.) (15~17)

15

$$☆\overline{)\,♥.☆}$$
$$0.3$$
$$\underline{♥\ ☆}$$
$$0$$

♥ = ☐   ☆ = ☐

16

$$☆\overline{)\,♥.☆}$$
$$0.7$$
$$\underline{♥\ ☆}$$
$$0$$

♥ = ☐   ☆ = ☐

17

$$☆\overline{)\,♥.☆}$$
$$0.6$$
$$\underline{♥\ ☆}$$
$$0$$

♥ = ☐   ☆ = ☐

또는 ♥ = ☐   ☆ = ☐

또는 ♥ = ☐   ☆ = ☐

또는 ♥ = ☐   ☆ = ☐

사고력 기르기

 주어진 숫자 카드 5장을 모두 사용하여 나눗셈식을 만들어 보시오. (01~06)

| 2 | 3 | 4 | 5 | 7 |

01
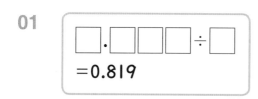
$\square . \square\square\square \div \square$
$=0.819$

02
$\square . \square\square\square \div \square$
$=0.849$

03
$\square . \square\square\square \div \square$
$=0.915$

04
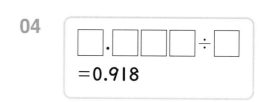
$\square . \square\square\square \div \square$
$=0.918$

05
$\square . \square\square\square \div \square$
$=0.825$

06

$\square . \square\square\square \div \square$
$=0.858$

 다음 나눗셈식에서 ☆은 자연수이고 몫은 1보다 작습니다. ☆이 될 수 있는 수 중 가장 작은 수를 구하고 그 때의 몫을 구하시오. (07~10)

07 $7.76 \div (3+☆)$ ➡ ☆ = $\square$, 몫 = $\square$

08 $15.68 \div (9+☆)$ ➡ ☆ = $\square$, 몫 = $\square$

09 $17.82 \div (10+☆)$ ➡ ☆ = $\square$, 몫 = $\square$

10 $11.52 \div (8+☆)$ ➡ ☆ = $\square$, 몫 = $\square$

다음 수직선에서 ☆이 나타내는 소수를 구하시오. (11~14)

11

5.2   ☆   8.44   (   )

12

2.45   ☆   4.7   (   )

13

8.3   ☆   11.02   (   )

14

6.24   ☆   8.62   (   )

 ☐ 안에 알맞은 숫자를 써넣어 나눗셈식을 완성하시오. (15~16)

15

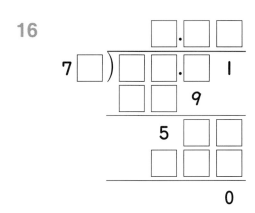

```
          □ . □ □
  39 ) □ □ . 8 □
       □ □ □
       ─────
         □ □
         □ 8
       ─────
           0
```

16

```
          □ . □ □
  7 □ ) □ □ . □ 1
          □ 9
       ─────
         5 □ □
         □ □
       ─────
           0
```

실력 점검

 □ 안에 알맞은 수를 써넣으시오. (01~05)

01 $104 \div 8 = 13$
→ $1.04 \div 8 = \boxed{}$

02 $144 \div 12 = 12$
→ $1.44 \div 12 = \boxed{}$

03 $3.72 \div 6 = \dfrac{\boxed{}}{100} \div 6 = \dfrac{\boxed{} \div 6}{100} = \dfrac{\boxed{}}{100} = \boxed{}$

04

$$\boxed{}.\boxed{}\boxed{}$$
$$9\,)\,2\,.\,5\,\,2$$

0

05

$$\boxed{}.\boxed{}\boxed{}$$
$$19\,)\,4\,.\,3\,\,7$$

0

 계산을 하시오. (06~14)

06 $7\,)\,5.7\,4$

07 $8\,)\,6.4\,8$

08 $4\,)\,2.2\,4$

09 $6\,)\,3.4\,8$

10 $2\,)\,1.9\,8$

11 $8\,)\,4.6\,4$

12 $11\,)\,10.1\,2$

13 $16\,)\,12.3\,2$

14 $25\,)\,16.2\,5$

 □ 안에 알맞은 숫자를 써넣어 나눗셈식을 완성하시오. (15~16)

15
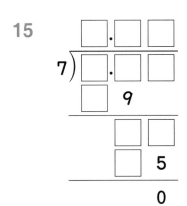

16
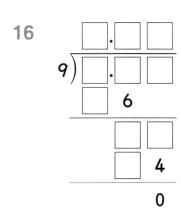

 주어진 나눗셈식에서 ♡에 알맞은 숫자를 구하시오. (17~18)

17
$$5.39 \div ♡ = 0.♡♡$$

(   )

18
$$8.91 \div ♡ = 0.♡♡$$

(   )

 주어진 식에서 ☆이 될 수 있는 숫자를 모두 구하시오. (19~20)

19
$$0.☆2 > 8.64 \div 12$$

(   )

20
$$0.☆9 < 7.68 \div 16$$

(   )

 다음 나눗셈식에서 ■는 자연수이고 몫은 1보다 작습니다. ■가 될 수 있는 수 중 가장 작은 수를 구하고 그 때의 몫을 구하시오. (21~22)

21
$$10.12 \div (5 + ■)$$
➡ ■ = ☐ , 몫 = ☐

22
$$11.76 \div (■ + 7)$$
➡ ■ = ☐ , 몫 = ☐

개념

• 5.8÷4의 계산

방법① 분수의 나눗셈으로 고쳐서 계산하기

$$5.8 \div 4 = \frac{580}{100} \div 4 = \frac{580 \div 4}{100} = \frac{145}{100} = 1.45$$

방법② 자연수의 나눗셈을 이용하여 계산하기

$$\frac{1}{100}배\left(\begin{array}{l} 580 \div 4 = 145 \\ 5.8 \div 4 = 1.45 \end{array}\right)\frac{1}{100}배$$

```
    145              1.45
4)580      ➡      4)5.80
  4                  4
  18                 18
  16                 16
   20                 20
   20                 20
    0                  0
```

몫이 나누어떨어지지 않을 경우 나누어지는 수의 소수점 아래에 0이 계속 있는 것으로 생각하고 0을 내려서 계산합니다.

 ☐ 안에 알맞은 수를 써넣으시오. (01~06)

01 630÷5=126
➡ 6.3÷5= ☐

02 710÷5=142
➡ 7.1÷5= ☐

03 750÷6=125
➡ 7.5÷6= ☐

04 1080÷8=135
➡ 10.8÷8= ☐

05 $6.6 \div 4 = \frac{\boxed{}}{100} \div 4 = \frac{\boxed{} \div 4}{100} = \frac{\boxed{}}{100} = \boxed{}$

06 $9.4 \div 5 = \frac{\boxed{}}{100} \div 5 = \frac{\boxed{} \div 5}{100} = \frac{\boxed{}}{100} = \boxed{}$

07

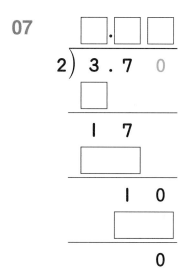

08

```
     □.□□
  4)8.6 0
    □
    6
   □
   2 0
  □□
   0
```

09

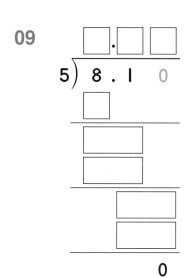

10

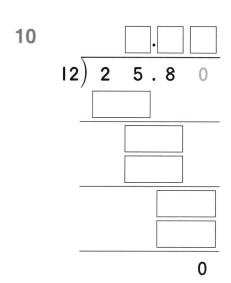

 계산을 하시오. (11~19)

11 8)9.2

12 6)7.5

13 5)6.4

14 6)8.7

15 2)10.9

16 5)7.4

17 8)27.6

18 16)189.6

19 14)3.71

사고력 기르기

 ☐ 안에 알맞은 숫자를 써넣어 나눗셈식을 완성하시오. (01~06)

01

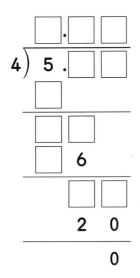

02

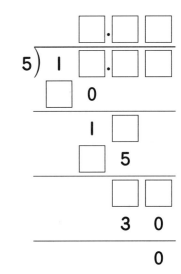

03

04

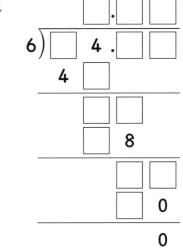

05

06

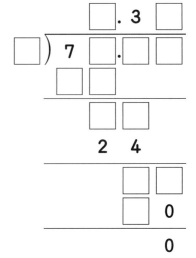

주어진 식에서 ♡, ☆, ■, △에 알맞은 숫자를 구하시오. (07~11)

07

$$122.4 \div ♡ = ☆■.△8$$

♡ = ☐   ☆ = ☐   ■ = ☐   △ = ☐

08

$$161.3 \div ♡ = ☆■.△6$$

♡ = ☐   ☆ = ☐   ■ = ☐   △ = ☐

09

$$92.6 \div ♡ = ☆■.△2$$

♡ = ☐   ☆ = ☐   ■ = ☐   △ = ☐

10

$$209.4 \div ♡ = ☆■.△5$$

♡ = ☐   ☆ = ☐   ■ = ☐   △ = ☐

11

$$74.7 \div ♡ = ☆■.△5$$

♡ = ☐   ☆ = ☐   ■ = ☐   △ = ☐

또는 ♡ = ☐   ☆ = ☐   ■ = ☐   △ = ☐

사고력 기르기

01 ☐ 안에 알맞은 숫자를 써넣어 여러 가지 나눗셈식을 만들어 보시오.

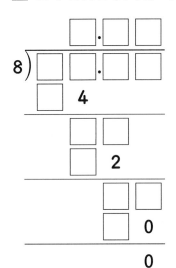

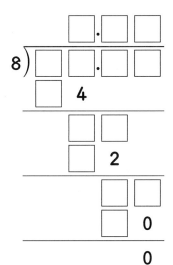

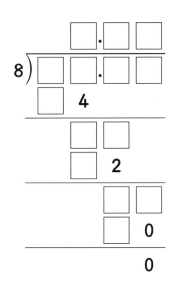

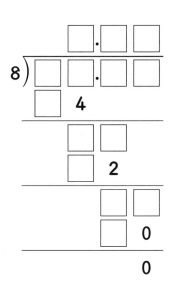

02 ☐ 안에 **1**부터 **5**까지의 자연수를 모두 써넣어 나눗셈식을 완성하시오.

```
        2  6 . 4  8
☐ ) ☐ ☐ ☐ . ☐
```

03 ☐ 안에 **2**부터 **6**까지의 자연수를 모두 써넣어 나눗셈식을 완성하시오.

```
        6  9 . 2  4
☐ ) ☐ ☐ ☐ . ☐
```

04 주어진 식에서 ♥, ☆, △는 서로 다른 숫자입니다. 주어진 식을 성립시키는 여러 가지 식을 만들어 보시오.

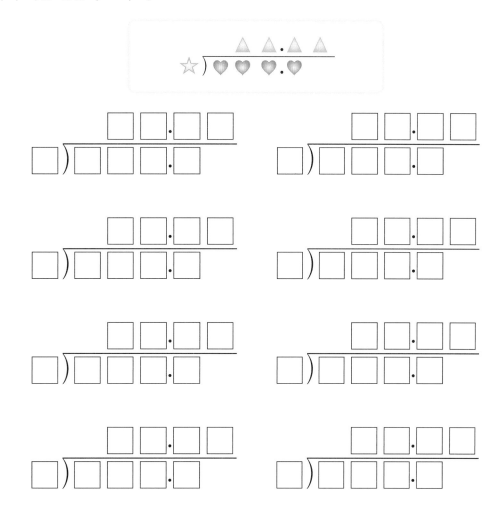

05 주어진 숫자 카드 **4**장을 모두 사용하여 소수점 아래 0을 내려 계산하는 나눗셈식을 만들고 계산해 보시오. (단, 계산한 몫은 소수 두 자리 수입니다.)

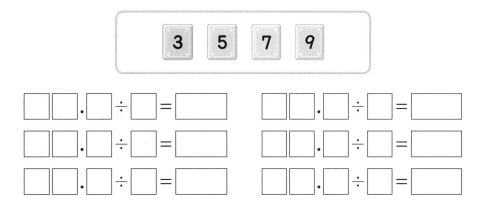

$$\square\,\square.\square \div \square = \square \qquad \square\,\square.\square \div \square = \square$$

$$\square\,\square.\square \div \square = \square \qquad \square\,\square.\square \div \square = \square$$

$$\square\,\square.\square \div \square = \square \qquad \square\,\square.\square \div \square = \square$$

 ☐ 안에 알맞은 수를 써넣으시오. (01~05)

01 $1660 \div 4 = 415$

➡ $16.6 \div 4 =$ ☐

02 $1060 \div 5 = 212$

➡ $10.6 \div 5 =$ ☐

03 $18.8 \div 8 = \dfrac{\boxed{}}{100} \div 8 = \dfrac{\boxed{} \div 8}{100} = \dfrac{\boxed{}}{100} = \boxed{}$

04
```
    □.□□
6)8.1 0
   □
   □□
   □□
    □□
    □□
     0
```

05
```
     □.□□
14)1 7.5 0
   □□
   □□
   □□
    □□
    □□
     0
```

 계산을 하시오. (06~14)

06 $4)\overline{1\,2.6}$

07 $6)\overline{1\,4.7}$

08 $2)\overline{9.3}$

09 $5)\overline{7.9}$

10 $8)\overline{2\,9.2}$

11 $5)\overline{2\,8.4}$

12 $14)\overline{4\,4.1}$

13 $15)\overline{3\,8.1}$

14 $16)\overline{3\,9.2}$

 □ 안에 알맞은 숫자를 써넣어 나눗셈식을 완성하시오. (15~16)

15

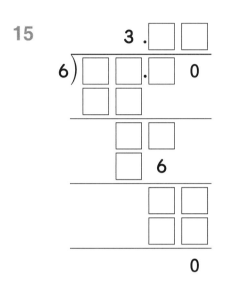

16

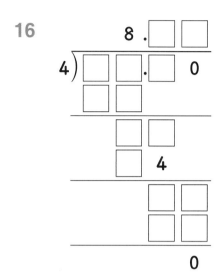

 주어진 식에서 ▨, △, ◉, ☆에 알맞은 숫자를 구하시오. (17~18)

17

$$62.3 \div ▨ = △◉.☆6$$

▨ = □   △ = □   ◉ = □   ☆ = □

18

$$119.6 \div ▨ = △◉.☆5$$

▨ = □   △ = □   ◉ = □   ☆ = □

19 주어진 숫자 카드 4장을 모두 사용하여 소수점 아래 0을 내려 계산하는 나눗셈식을 만들고 계산해 보시오. (단, 계산한 몫은 소수 두 자리 수입니다.)

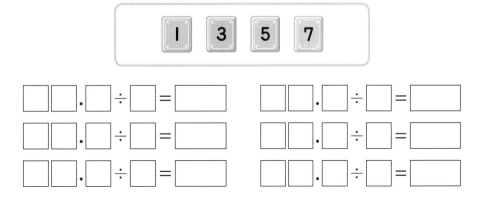

□□.□ ÷ □ = □   □□.□ ÷ □ = □

□□.□ ÷ □ = □   □□.□ ÷ □ = □

□□.□ ÷ □ = □   □□.□ ÷ □ = □

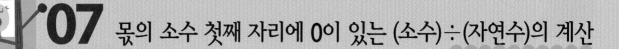

07 몫의 소수 첫째 자리에 0이 있는 (소수)÷(자연수)의 계산

・3.15÷3의 계산

방법➊ 분수의 나눗셈으로 고쳐서 계산하기

$$3.15 \div 3 = \frac{315}{100} \div 3 = \frac{315 \div 3}{100} = \frac{105}{100} = 1.05$$

방법➋ 자연수의 나눗셈을 이용하여 계산하기

$\frac{1}{100}$배$\left(\begin{array}{l}315 \div 3 = 105 \\ 3.15 \div 3 = 1.05\end{array}\right)\frac{1}{100}$배

$$\begin{array}{r} 105 \\ 3\overline{)315} \\ 3 \\ \hline 15 \\ 15 \\ \hline 0 \end{array} \Rightarrow \begin{array}{r} 1.05 \\ 3\overline{)3.15} \\ 3 \\ \hline 15 \\ 15 \\ \hline 0 \end{array}$$

세로로 계산할 때 소수 첫째 자리 숫자를 내려도 나눌 수 없으면 몫의 소수 첫째 자리에 0을 쓰고, 다음 자리 숫자를 내려서 계산합니다.

□ 안에 알맞은 수를 써넣으시오. (01~06)

01 324÷3=108

➡ 3.24÷3= □

02 836÷4=209

➡ 8.36÷4= □

03 3525÷5=705

➡ 35.25÷5= □

04 1456÷7=208

➡ 14.56÷7= □

05 $36.3 \div 6 = \dfrac{\boxed{}}{100} \div 6 = \dfrac{\boxed{} \div 6}{100} = \dfrac{\boxed{}}{100} = \boxed{}$

06 $21.49 \div 7 = \dfrac{\boxed{}}{100} \div 7 = \dfrac{\boxed{} \div 7}{100} = \dfrac{\boxed{}}{100} = \boxed{}$

□ 안에 알맞은 수를 써넣으시오. (07~10)

07

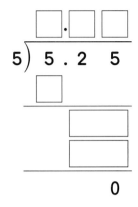

$$5)\overline{5.25}$$

08

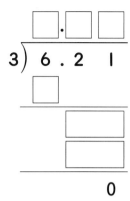

$$3)\overline{6.21}$$

09

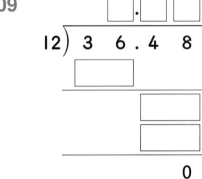

$$12)\overline{36.48}$$

10

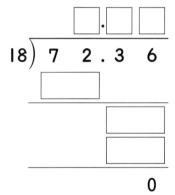

$$18)\overline{72.36}$$

 계산을 하시오. (11~19)

11 $2)\overline{12.04}$

12 $3)\overline{24.21}$

13 $5)\overline{30.35}$

14 $9)\overline{18.36}$

15 $11)\overline{44.33}$

16 $13)\overline{26.13}$

17 $24)\overline{97.2}$

18 $17)\overline{86.36}$

19 $15)\overline{76.05}$

사고력 기르기

 ☐ 안에 알맞은 숫자를 써넣어 나눗셈식을 완성하시오. (01~04)

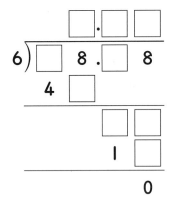

01

02

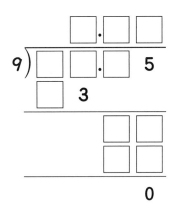

03

04

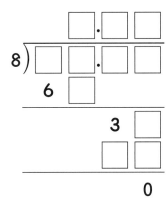

 주어진 나눗셈식에서 ♥와 ☆에 알맞은 숫자를 구하시오. (05~08)

05

$$35.35 \div ♥ = ☆.0☆$$

♥ = ☐   ☆ = ☐

또는 ♥ = ☐   ☆ = ☐

06

$$48.48 \div ♥ = ☆.0☆$$

♥ = ☐   ☆ = ☐

또는 ♥ = ☐   ☆ = ☐

07

$$42.42 \div ♥ = ☆.0☆$$

♥ = ☐   ☆ = ☐

또는 ♥ = ☐   ☆ = ☐

08

$$63.63 \div ♥ = ☆.0☆$$

♥ = ☐   ☆ = ☐

또는 ♥ = ☐   ☆ = ☐

□ 안에 알맞은 숫자를 써넣어 여러 가지 나눗셈식을 만들어 보시오. (09~10)

09

2□.□6÷4=□.0□   2□.□6÷4=□.0□

2□.□6÷4=□.0□   2□.□6÷4=□.0□

2□.□6÷4=□.0□   2□.□6÷4=□.0□

10

□2.□2÷6=□.0□   □2.□2÷6=□.0□

□2.□2÷6=□.0□   □2.□2÷6=□.0□

 주어진 나눗셈식에서 ♡는 ☆보다 큰 숫자입니다. 조건을 만족하는 나눗셈식을 모두 만들어 보시오. (11~12)

11

♡☆.♡☆÷7=□.□□

□□.□□÷7=□.□□   □□.□□÷7=□.□□

□□.□□÷7=□.□□

12

♡☆.♡☆÷9=□.□□

□□.□□÷9=□.□□   □□.□□÷9=□.□□

□□.□□÷9=□.□□   □□.□□÷9=□.□□

 주어진 나눗셈식의 몫은 소수 두 자리 수이고 몫의 소수 첫째 자리에는 0이 있습니다. ♥, ☆, ▲는 0이 아닌 서로 다른 숫자일 때, 조건을 만족하는 여러 가지 나눗셈식을 만들어 보시오.

(01~03)

01

$$3♥.☆▲÷8$$

3□□.□□÷8=□.□□　　3□□.□□÷8=□.□□

3□□.□□÷8=□.□□　　3□□.□□÷8=□.□□

02

$$1♥.☆▲÷9$$

1□.□□÷9=□.□□　　1□.□□÷9=□.□□

1□.□□÷9=□.□□　　1□.□□÷9=□.□□

1□.□□÷9=□.□□　　1□.□□÷9=□.□□

03

$$♥9.☆▲÷7$$

□9.□□÷7=□.□□　　□9.□□÷7=□.□□

□9.□□÷7=□.□□　　□9.□□÷7=□.□□

□9.□□÷7=□.□□

04 □ 안에 알맞은 숫자를 써넣어 여러 가지 나눗셈식을 만들어 보시오.

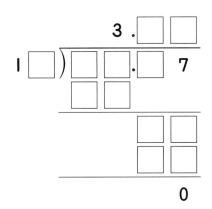

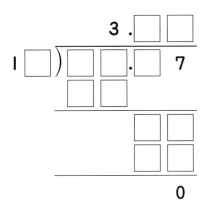

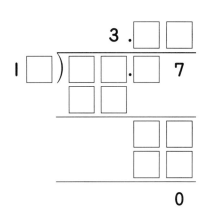

주어진 5장의 숫자 카드를 □ 안에 모두 써넣어 나눗셈식이 성립되도록 하시오. (05~06)

05

| 4 | 5 | 6 | 8 | 8 |

□□.□8 ÷ 2I = □.0□

06

| 3 | 4 | 5 | 6 | 7 |

□□.0□ ÷ I5 = □.0□

 □ 안에 알맞은 수를 써넣으시오. (01~05)

01 1830÷6=305

➡ 18.3÷6=☐

02 3618÷9=402

➡ 36.18÷9=☐

03 6.12÷2=$\dfrac{\boxed{}}{100}$÷2=$\dfrac{\boxed{}÷2}{100}$=$\dfrac{\boxed{}}{100}$=☐

04

```
      □.□□
   7)7.3 5
     □
    ─────
    ┌──┐
    └──┘
    ┌──┐
    └──┘
      0
```

05

```
      □.□□
   8)1 6.4 8
     ┌──┐
     └──┘
    ─────
    ┌──┐
    └──┘
    ┌──┐
    └──┘
      0
```

 계산을 하시오. (06~14)

06 4)12.36

07 6)30.48

08 9)36.63

09 6)72.42

10 11)88.99

11 12)60.96

12 15)91.05

13 18)90.54

14 27)110.43

 ☐ 안에 알맞은 숫자를 써넣어 나눗셈식을 완성하시오. (15~16)

15

```
      ☐ . ☐ ☐
7 ) ☐ ☐ . ☐ ☐
    5 ☐
      ☐ ☐
        ☐ 8
          0
```

16

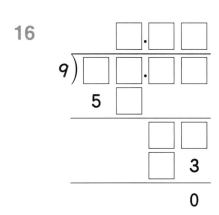

```
      ☐ . ☐ ☐
9 ) ☐ ☐ . ☐ ☐
    5 ☐
      ☐ ☐
        ☐ 3
          0
```

 주어진 나눗셈식에서 ♥와 ☆에 알맞은 숫자를 구하시오. (17~18)

17

$$32.32 \div ♥ = ☆.0☆$$

♥ = ☐   ☆ = ☐

또는 ♥ = ☐   ☆ = ☐

18

$$45.45 \div ♥ = ☆.0☆$$

♥ = ☐   ☆ = ☐

또는 ♥ = ☐   ☆ = ☐

 주어진 5장의 숫자 카드를 ☐ 안에 모두 써넣어 나눗셈식이 성립되도록 하시오. (19~20)

19

☐ ☐ . ☐ 8 ÷ 14 = ☐ . 0 ☐

20

☐ ☐ . ☐ 6 ÷ 17 = ☐ . 0 ☐

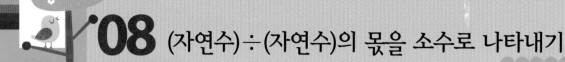

개념

• 8÷5의 계산

방법 1 몫을 분수로 나타내어 계산하기

$$8 \div 5 = \frac{8}{5} = \frac{16}{10} = 1.6$$

방법 2 자연수의 나눗셈을 이용하여 계산하기

$\frac{1}{10}$배 $\left(\begin{array}{l} 80 \div 5 = 16 \\ 8 \div 5 = 1.6 \end{array} \right) \frac{1}{10}$배

$$\begin{array}{r} 16 \\ 5\overline{)80} \\ \underline{5} \\ 30 \\ \underline{30} \\ 0 \end{array} \Rightarrow \begin{array}{r} 1.6 \\ 5\overline{)8.0} \\ \underline{5} \\ 30 \\ \underline{30} \\ 0 \end{array}$$

몫의 소수점은 자연수 바로 뒤에서 올려서 찍습니다.

 ☐ 안에 알맞은 수를 써넣으시오. (01~08)

01 50÷2=25

➡ 5÷2= ☐

02 70÷5=14

➡ 7÷5= ☐

03 900÷4=225

➡ 9÷4= ☐

04 1500÷12=125

➡ 15÷12= ☐

05 $9 \div 2 = \dfrac{\boxed{}}{2} = \dfrac{\boxed{}}{10} = \boxed{}$

06 $11 \div 5 = \dfrac{\boxed{}}{5} = \dfrac{\boxed{}}{10} = \boxed{}$

07 $17 \div 4 = \dfrac{\boxed{}}{4} = \dfrac{\boxed{}}{100} = \boxed{}$

08 $14 \div 8 = \dfrac{\boxed{}}{8} = \dfrac{\boxed{}}{4} = \dfrac{\boxed{}}{100} = \boxed{}$

□ 안에 알맞은 수를 써넣으시오. (09~12)

09

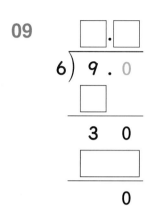

```
     □.□
  6) 9.0
    □
    3 0
    □□
      0
```

10

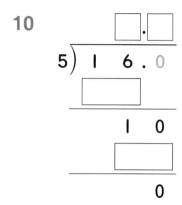

```
     □.□
  5) 1 6.0
    □□
     1 0
    □□
       0
```

11

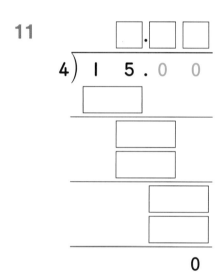

```
      □.□□
  4) 1 5.0 0
    □□
      □□
      □□
       □□
       □□
        0
```

12

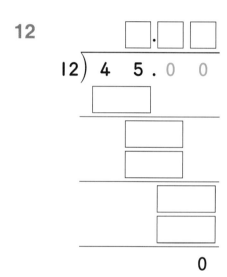

```
      □.□□
  12) 4 5.0 0
    □□
      □□
      □□
       □□
       □□
        0
```

 계산을 하시오. (13~21)

13 4)1 0

14 2)1 9

15 8)1 2

16 15)4 2

17 4)2 5

18 12)2 7

19 25)1 5

20 8)1 3

21 18)1 1 7

□ 안에 알맞은 숫자를 써넣어 나눗셈식을 완성하시오. (01~14)

01
$$2 \div \boxed{} = 0.4$$

02
$$5 \div \boxed{} = 0.625$$

03
$$6 \div \boxed{} = 0.24$$

04
$$7 \div \boxed{} = 0.28$$

05
$$33 \div \boxed{} = 8.25$$

06
$$36 \div \boxed{} = 7.2$$

07
$$15 \div \boxed{} = 1.875$$

08
$$27 \div \boxed{} = 6.75$$

09
$$\boxed{} \div 16 = 0.75$$

10
$$\boxed{} \div 20 = 0.85$$

11
$$\boxed{} \div 12 = 0.25$$

12
$$\boxed{} \div 35 = 0.4$$

13
$$\boxed{} \div 5 = 7.2$$

14
$$\boxed{} \div 8 = 5.25$$

□ 안에 알맞은 숫자를 써넣어 나눗셈식을 완성하시오. (15~18)

15

```
      □ 3 . □ □
  4 )□ □
    4
   □ □
   □ □
     1 □
       □
      □ □
      □ □
         0
```

16

```
     □ . 3 □ □
  8 )□ □ □
    1 □
   □ □
   □ □
     2 □
     □ □
    □ □
    □ □
       0
```

17

```
        0 . 8 □ □
 □ 4 )2 □
     1 □ 2
      □ □ □
      □ □ □
       □ □ □
       □ □ □
           0
```

18

```
       0 . □ 2 □
 4 □ )□ □
    1 6 □
    1 0 □
     □ □
     □ □ □
     □ □ □
          0
```

 가♥나=(가+나)÷(가−나)로 약속할 때 다음을 계산하시오. (19~20)

19

15♥7

(   )

20

25♥21

(   )

사고력 기르기

 주어진 식에서 ♥는 한 자리 수이고 △는 0이 아닙니다. 식이 성립되도록 □ 안에 알맞은 숫자를 써넣으시오. (01~02)

01

$$
\begin{array}{r}
1\ \ ☆.△ \\
♥)\overline{5\ \ 8}
\end{array}
$$

$$
\begin{array}{r}
1\ \ □.□ \\
□)\overline{5\ \ 8}
\end{array}
\qquad
\begin{array}{r}
1\ \ □.□ \\
□)\overline{5\ \ 8}
\end{array}
$$

02

$$
\begin{array}{r}
1\ \ ☆.△ \\
♥)\overline{8\ \ 4}
\end{array}
$$

$$
\begin{array}{r}
1\ \ □.□ \\
□)\overline{8\ \ 4}
\end{array}
\qquad
\begin{array}{r}
1\ \ □.□ \\
□)\overline{8\ \ 4}
\end{array}
$$

 주어진 4장의 숫자 카드를 □ 안에 모두 넣어 식을 완성하시오. (03~05)

03

04

05

| 2 | 4 | 5 | 8 |

$$
\begin{array}{r}
□.\ 2\ \ 5 \\
□)\overline{□\ \ □}
\end{array}
$$

□ 안에 알맞은 숫자를 써넣어 여러 가지 나눗셈식을 만들어 보시오. (06~07)

06

```
         4 . 6
□ □ ) 1 □ □
      □ □ □
      ───────
        □ □ □
        □ □ □
      ───────
            0
```

```
         4 . 6
□ □ ) 1 □ □
      □ □ □
      ───────
        □ □ □
        □ □ □
      ───────
            0
```

```
         4 . 6
□ □ ) 1 □ □
      □ □ □
      ───────
        □ □ □
        □ □ □
      ───────
            0
```

```
         4 . 6
□ □ ) 1 □ □
      □ □ □
      ───────
        □ □ □
        □ □ □
      ───────
            0
```

07

```
         5 . 8
□ □ ) 2 □ □
      □ □ □
      ───────
        □ □ □
        □ □ □
      ───────
            0
```

```
         5 . 8
□ □ ) 2 □ □
      □ □ □
      ───────
        □ □ □
        □ □ □
      ───────
            0
```

```
         5 . 8
□ □ ) 2 □ □
      □ □ □
      ───────
        □ □ □
        □ □ □
      ───────
            0
```

```
         5 . 8
□ □ ) 2 □ □
      □ □ □
      ───────
        □ □ □
        □ □ □
      ───────
            0
```

08. (자연수)÷(자연수)의 몫을 소수로 나타내기 **65**

 □ 안에 알맞은 수를 써넣으시오. (01~06)

01 300÷4=75

➡ 3÷4= ☐

02 2000÷16=125

➡ 20÷16= ☐

03 $7÷2=\dfrac{☐}{2}=\dfrac{☐}{10}=$ ☐

04 $2÷5=\dfrac{☐}{5}=\dfrac{☐}{10}=$ ☐

05

```
    ☐.☐
4) 1 7.0 0
   ┌───┐
   └───┘
   ┌───┐
   └───┘
       ┌───┐
       └───┘
       ┌───┐
       └───┘
          0
```

06

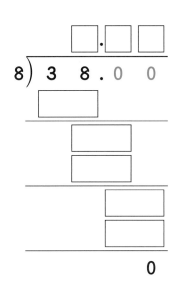

```
    ☐.☐
8) 3 8.0 0
   ┌───┐
   └───┘
   ┌───┐
   └───┘
       ┌───┐
       └───┘
       ┌───┐
       └───┘
          0
```

 계산을 하시오. (07~15)

07 2)1 9

08 5)2 7

09 4)2 1

10 12)5 1

11 22)3 3

12 24)3 0

13 25)2 1

14 16)1 2

15 35)2 2 4

 ☐ 안에 알맞은 숫자를 써넣어 나눗셈식을 완성하시오. (16~17)

16

```
        ☐.☐
   4)☐☐
     ☐ 4
      ☐☐
      ☐ 8
        ☐☐
        ☐☐
           0
```

17

```
         ☐.☐☐
   16)☐☐
      ☐☐ 8
       ☐☐☐
       ☐☐ 2
          ☐☐
          ☐☐
             0
```

 가♡나=(가＋나)÷(가－나)로 약속할 때 다음을 계산하시오. (18~19)

18

| 15♡11 |

(   )

19

| 34♡18 |

(   )

 주어진 4장의 숫자 카드를 ☐ 안에 모두 써넣어 식을 완성하시오. (20~21)

20

| 2 | 4 | 7 | 9 |

➡

```
      ☐. 2  5
  ☐)☐☐
```

21

| 4 | 5 | 6 | 8 |

➡

```
      ☐. 7  5
  ☐)☐☐
```

09 비와 비율

- 두 수를 나눗셈으로 비교하기 위해 비로 나타냅니다. 두 수 **3**과 **4**를 나눗셈으로 비교할 때 기호 **:**을 사용하여 **3 : 4**라 쓰고 **3** 대 **4**라고 읽습니다. **3 : 4**는 **3**과 **4**의 비, **4**에 대한 **3**의 비, **3**의 **4**에 대한 비라고도 읽습니다.

  ■ : ▲ ➡ ■ 대 ▲, ■와 ▲의 비, ▲에 대한 ■의 비, ■의 ▲에 대한 비
- 비 **3 : 4**에서 기호 **:**의 오른쪽에 있는 **4**는 기준량이고, 왼쪽에 있는 **3**은 비교하는 양입니다.

  기준량에 대한 비교하는 양의 크기를 비율이라고 합니다.

$$(비율) = (비교하는 양) \div (기준량) = \frac{(비교하는 양)}{(기준량)}$$

비를 보고 ☐ 안에 알맞은 수를 써넣으시오. (01~04)

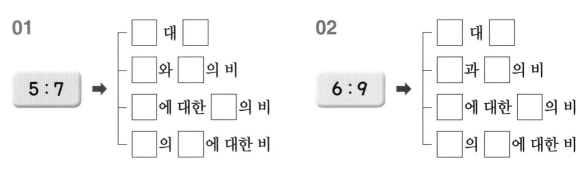

01 **5 : 7** ➡
☐ 대 ☐
☐와 ☐의 비
☐에 대한 ☐의 비
☐의 ☐에 대한 비

02 **6 : 9** ➡
☐ 대 ☐
☐과 ☐의 비
☐에 대한 ☐의 비
☐의 ☐에 대한 비

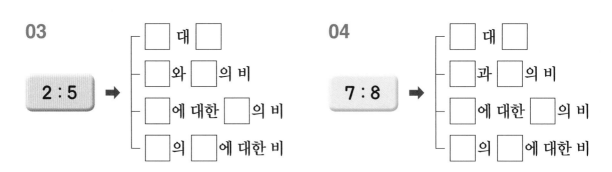

03 **2 : 5** ➡
☐ 대 ☐
☐와 ☐의 비
☐에 대한 ☐의 비
☐의 ☐에 대한 비

04 **7 : 8** ➡
☐ 대 ☐
☐과 ☐의 비
☐에 대한 ☐의 비
☐의 ☐에 대한 비

 ☐ 안에 알맞은 수를 써넣으시오. (05~08)

05 **6**과 **5**의 비 ➡ ☐ : ☐

06 **9**에 대한 **4**의 비 ➡ ☐ : ☐

07 **4**의 **7**에 대한 비 ➡ ☐ : ☐

08 **10**과 **13**의 비 ➡ ☐ : ☐

( ) 안에 기준량은 '기', 비교하는 양은 '비'를 써넣으시오. (09~12)

09 사과 수와 귤 수의 비
( ) ( )

10 (저금한 돈) : (용돈)
( ) ( )

11 연필 수에 대한 지우개 수의 비
( ) ( )

12 사탕 수의 초콜릿 수에 대한 비
( ) ( )

기준량과 비교하는 양을 찾아 □ 안에 써넣고 비율을 분수와 소수로 각각 나타내시오.

(13~16)

13 3 : 5

- 기준량 : □
- 비교하는 양 : □
- 비율 : 분수 ( )
  소수 ( )

14 7 : 10

- 기준량 : □
- 비교하는 양 : □
- 비율 : 분수 ( )
  소수 ( )

15 11 : 20

- 기준량 : □
- 비교하는 양 : □
- 비율 : 분수 ( )
  소수 ( )

16 19 : 25

- 기준량 : □
- 비교하는 양 : □
- 비율 : 분수 ( )
  소수 ( )

사고력 기르기

 주어진 비를 비율로 나타낼 때, ☐ 안에 알맞은 수를 써넣으시오. (01~08)

01 3 : 4 ➡ $\dfrac{\square}{4}$ $\dfrac{\square}{8}$ $\dfrac{\square}{12}$ $\dfrac{12}{\square}$ $\dfrac{15}{\square}$ $\dfrac{18}{\square}$

02 5 : 8 ➡ $\dfrac{\square}{8}$ $\dfrac{\square}{16}$ $\dfrac{\square}{24}$ $\dfrac{20}{\square}$ $\dfrac{25}{\square}$ $\dfrac{30}{\square}$

03 2 : 7 ➡ $\dfrac{\square}{7}$ $\dfrac{\square}{21}$ $\dfrac{\square}{35}$ $\dfrac{14}{\square}$ $\dfrac{18}{\square}$ $\dfrac{22}{\square}$

04 4 : 9 ➡ $\dfrac{\square}{9}$ $\dfrac{\square}{18}$ $\dfrac{\square}{36}$ $\dfrac{20}{\square}$ $\dfrac{28}{\square}$ $\dfrac{36}{\square}$

05 11 : 5 ➡ $\dfrac{\square}{5}$ $\dfrac{\square}{10}$ $\dfrac{\square}{20}$ $\dfrac{77}{\square}$ $\dfrac{99}{\square}$ $\dfrac{110}{\square}$

06 9 : 2 ➡ $\dfrac{\square}{2}$ $\dfrac{\square}{6}$ $\dfrac{\square}{8}$ $\dfrac{54}{\square}$ $\dfrac{72}{\square}$ $\dfrac{81}{\square}$

07 10 : 3 ➡ $\dfrac{\square}{3}$ $\dfrac{\square}{6}$ $\dfrac{\square}{12}$ $\dfrac{60}{\square}$ $\dfrac{70}{\square}$ $\dfrac{100}{\square}$

08 12 : 7 ➡ $\dfrac{\square}{7}$ $\dfrac{\square}{14}$ $\dfrac{\square}{28}$ $\dfrac{72}{\square}$ $\dfrac{84}{\square}$ $\dfrac{120}{\square}$

주어진 비율에 맞는 비가 되도록 ☐ 안에 알맞은 수를 써넣으시오. (09~16)

09   $\dfrac{2}{5}$ ➡   2 : ☐   4 : ☐   ☐ : 15   ☐ : 20

10   $\dfrac{5}{6}$ ➡   5 : ☐   10 : ☐   ☐ : 18   ☐ : 24

11   $\dfrac{3}{10}$ ➡   3 : ☐   9 : ☐   ☐ : 50   ☐ : 70

12   $\dfrac{5}{9}$ ➡   5 : ☐   15 : ☐   ☐ : 45   ☐ : 63

13   $\dfrac{7}{3}$ ➡   7 : ☐   28 : ☐   ☐ : 21   ☐ : 27

14   $\dfrac{9}{5}$ ➡   9 : ☐   18 : ☐   ☐ : 25   ☐ : 40

15   $\dfrac{11}{6}$ ➡   11 : ☐   33 : ☐   ☐ : 60   ☐ : 72

16   $\dfrac{15}{7}$ ➡   15 : ☐   45 : ☐   ☐ : 49   ☐ : 63

사고력 기르기

 비율의 크기를 비교한 식에서 ♡가 될 수 있는 자연수를 모두 고르시오. (단, 주어진 비에서 비교하는 양을 기준량으로 나눈 값은 나누어떨어집니다.) (01~06)

01

$$0.25 < \boxed{3 : ♡} < 0.75$$

(   )

02

$$0.15 < \boxed{4 : ♡} < 0.8$$

(   )

03

$$0.36 < \boxed{9 : ♡} < 0.72$$

(   )

04

$$0.6 < \boxed{♡ : 5} < 2.5$$

(   )

05

$$0.23 < \boxed{♡ : 12} < 1.8$$

(   )

06

$$0.45 < \boxed{♡ : 15} < 1.7$$

(   )

♥와 ☆의 비를 비율로 나타낸 것입니다. ♥와 ☆이 두 자리 수일 때, ♥와 ☆이 될 수 있는 수 중 가장 큰 수를 각각 구하시오. (07~10)

07

$$♥ : ☆ \Rightarrow 1\frac{1}{4}$$

♥ = ☐   ☆ = ☐

08

$$♥ : ☆ \Rightarrow 2\frac{2}{9}$$

♥ = ☐   ☆ = ☐

09

$$♥ : ☆ \Rightarrow 3\frac{3}{8}$$

♥ = ☐   ☆ = ☐

10

$$♥ : ☆ \Rightarrow 2\frac{4}{7}$$

♥ = ☐   ☆ = ☐

 비를 비율로 나타낸 것입니다. ♥와 ☆은 1보다 큰 자연수이고 ♥가 ☆보다 클 때, ☐ 안에 들어갈 수를 써넣으시오. (11~12)

11

$$16 : ♥ \Rightarrow \frac{☆}{5}$$

$$16 : \boxed{} \Rightarrow \frac{\boxed{}}{5}$$

$$16 : \boxed{} \Rightarrow \frac{\boxed{}}{5} \qquad 16 : \boxed{} \Rightarrow \frac{\boxed{}}{5} \qquad 16 : \boxed{} \Rightarrow \frac{\boxed{}}{5}$$

12

$$25 : ♥ \Rightarrow \frac{☆}{9}$$

$$25 : \boxed{} \Rightarrow \frac{\boxed{}}{9} \qquad 25 : \boxed{} \Rightarrow \frac{\boxed{}}{9} \qquad 25 : \boxed{} \Rightarrow \frac{\boxed{}}{9}$$

🌸 □ 안에 알맞은 수를 써넣으시오. (01~08)

01

9 : 10 ➡
- □ 대 □
- □ 와 □ 의 비
- □ 에 대한 □ 의 비
- □ 의 □ 에 대한 비

02

4 : 9 ➡
- □ 대 □
- □ 와 □ 의 비
- □ 에 대한 □ 의 비
- □ 의 □ 에 대한 비

03 7과 10의 비 ➡ □ : □

04 6과 11의 비 ➡ □ : □

05 8에 대한 7의 비 ➡ □ : □

06 15에 대한 11의 비 ➡ □ : □

07 4의 5에 대한 비 ➡ □ : □

08 17의 19에 대한 비 ➡ □ : □

 기준량과 비교하는 양을 찾아 □ 안에 써넣고 비율을 분수와 소수로 각각 나타내시오.

(09~10)

09 14 : 25

- 기준량 : □
- 비교하는 양 : □
- 비율 : 분수 ( )
  소수 ( )

10 27 : 50

- 기준량 : □
- 비교하는 양 : □
- 비율 : 분수 ( )
  소수 ( )

 주어진 비를 비율로 나타낼 때, ☐ 안에 알맞은 수를 써넣으시오. (11~12)

11 $5:6$ ➡ $\dfrac{\boxed{}}{6}$ $\dfrac{\boxed{}}{12}$ $\dfrac{\boxed{}}{18}$ $\dfrac{20}{\boxed{}}$ $\dfrac{25}{\boxed{}}$ $\dfrac{30}{\boxed{}}$

12 $4:7$ ➡ $\dfrac{\boxed{}}{7}$ $\dfrac{\boxed{}}{14}$ $\dfrac{\boxed{}}{21}$ $\dfrac{16}{\boxed{}}$ $\dfrac{20}{\boxed{}}$ $\dfrac{24}{\boxed{}}$

 주어진 비율에 맞는 비가 되도록 ☐ 안에 알맞은 수를 써넣으시오. (13~14)

13 $\dfrac{3}{5}$ ➡ $3:\boxed{}$ $6:\boxed{}$ $\boxed{}:15$ $\boxed{}:20$

14 $\dfrac{7}{9}$ ➡ $7:\boxed{}$ $14:\boxed{}$ $\boxed{}:27$ $\boxed{}:36$

15 비율의 크기를 비교한 식에서 ♥가 될 수 있는 자연수를 모두 구하시오. (단, 주어진 비에서 비교하는 양을 기준량으로 나눈 값은 나누어떨어집니다.)

$$0.2 < \boxed{4 : ♥} < 0.8$$

(   )

16 ♥와 ☆의 비를 비율로 나타낸 것입니다. ♥와 ☆이 두 자리 수일 때 ♥와 ☆이 될 수 있는 수 중 가장 큰 수를 각각 구하시오.

$$♥ : ☆ ➡ 1\dfrac{3}{5} \qquad ♥ = \boxed{} \quad ☆ = \boxed{}$$

개념

• 걸린 시간에 대한 간 거리의 비율 알아보기

교통 수단	간 거리(km)	걸린 시간(시간)	걸린 시간에 대한 간 거리의 비율
고속 버스	150	2	75
기차	240	3	80

➡ 걸린 시간에 대한 간 거리의 비율이 클수록 빠르므로 기차가 더 빠릅니다.

• 넓이에 대한 인구의 비율 알아보기

지역	인구(명)	넓이(km^2)	넓이에 대한 인구의 비율
가	48000	20	2400
나	45000	15	3000

➡ 넓이에 대한 인구의 비율이 클수록 인구가 더 밀집해 있으므로 나 지역의 인구가 더 밀집해 있습니다.

영수와 동민이는 담장을 꾸미기 위해 흰색 물감과 검은색 물감을 섞어 다음과 같이 회색을 만들었습니다. 물음에 답하시오. (01~02)

> 영수 : 흰색 물감 300 mL에 검은색 물감 15 mL를 넣어 회색을 만들었어.
> 동민 : 흰색 물감 200 mL에 검은색 물감 8 mL를 넣어 회색을 만들었어.

01 영수와 동민이가 만든 회색에서 흰색 물감 양에 대한 검은색 물감 양의 비율을 알아보시오.

$\langle$영수$\rangle$ $\dfrac{\square}{300} = \dfrac{\square}{100} = \square$ $\langle$동민$\rangle$ $\dfrac{\square}{200} = \dfrac{\square}{100} = \square$

02 누가 만든 회색이 더 진한지 알아보려고 합니다. □ 안에 알맞게 써넣으시오.

> 두 사람이 만든 회색에서 흰색 물감 양에 대한 검은색 물감 양의 비율을 소수로 구하여 비교해 보면 영수는 □이고 동민이는 □이므로 □의 회색이 더 진합니다.

지혜와 신영이가 만든 소금물의 양과 넣은 소금의 양을 나타낸 표입니다. 물음에 답하시오.

(03~05)

이름	소금(g)	소금물(g)
지혜	18	100
신영	15	150

03 지혜가 만든 소금물의 양에 대한 소금의 양의 비율은 얼마입니까?

( )

04 신영이가 만든 소금물의 양에 대한 소금의 양의 비율은 얼마입니까?

( )

05 더 진한 소금물을 만든 사람은 누구입니까?

( )

 맛나 과수원과 싱싱 과수원에서는 사과를 생산하고 있습니다. 표를 보고 물음에 답하시오.

(06~08)

과수원	과수원의 넓이(m^2)	생산량(t)
맛나	600	42
싱싱	800	48

06 맛나 과수원의 넓이에 대한 생산량의 비율은 얼마입니까?

( )

07 싱싱 과수원의 넓이에 대한 생산량의 비율은 얼마입니까?

( )

08 같은 넓이에서 어느 과수원의 생산량이 더 많습니까?

( )

🌸 걸린 시간에 대한 간 거리의 비율이 다음과 같이 주어졌을 때, ☐ 안에 알맞은 수를 써넣으시오. (01~05)

01   60   간 거리 ➡ 120 km   걸린 시간 ➡ ☐시간

02   80   간 거리 ➡ 240 m   걸린 시간 ➡ ☐분

03   45   간 거리 ➡ 9 km   걸린 시간 ➡ ☐시간

04   90   간 거리 ➡ ☐ m   걸린 시간 ➡ 15분

05   24   간 거리 ➡ ☐ km   걸린 시간 ➡ 6시간

🌸 걸린 시간에 대한 간 거리의 비율이 10 이하인 것은 △표, 10 초과인 것은 ○표 하시오.

(06~10)

06   걸린 시간이 3시간, 간 거리가 27 km인 경우 ·························· (   )

07   걸린 시간이 50분, 간 거리가 1200 m인 경우 ·························· (   )

08   걸린 시간이 80분, 간 거리가 3200 m인 경우 ·························· (   )

09   걸린 시간이 5시간, 간 거리가 18 km인 경우 ·························· (   )

10   걸린 시간이 7시간, 간 거리가 147 km인 경우 ·························· (   )

넓이에 대한 인구 수의 비율이 다음과 같이 주어졌을 때, ☐ 안에 알맞은 수를 써넣으시오.

(11~15)

11 600   인구 수 ➡ 12000명   넓이 ➡ ☐ km²

12 920   인구 수 ➡ 36800명   넓이 ➡ ☐ km²

13 1250   인구 수 ➡ 75000명   넓이 ➡ ☐ km²

14 880   인구 수 ➡ ☐명   넓이 ➡ 75 km²

15 3450   인구 수 ➡ ☐명   넓이 ➡ 32 km²

 표를 보고 물음에 답하시오. (16~18)

마을	넓이(km²)	인구 수(명)
늘봄 마을		4800
장수 마을	3	4500
행복 마을	6	
사랑 마을		8100

16 넓이에 대한 인구 수의 비율은 장수 마을이 늘봄 마을보다 300 더 큽니다. 늘봄 마을의 넓이를 구하시오.

( )

17 행복 마을의 넓이에 대한 인구 수의 비율은 1100입니다. 인구 수가 가장 적은 마을부터 차례로 쓰시오.

( )

18 사랑 마을의 넓이는 6 km²입니다. 인구가 가장 밀집한 마을의 이름을 쓰시오.

( )

 A, B, C, D 4가지 방법으로 흰색 물감과 검은색 물감을 섞어 회색 물감을 만들었습니다. 물음에 답하시오. (01~04)

	흰색 물감(mL)	검은색 물감(mL)
A	50	5
B	80	4
C	100	8
D	120	6

01 A, B, C, D 방법 중 가장 진한 회색을 만든 경우는 어느 것인지 쓰시오.

(   )

02 흰색 물감에 대한 검은색 물감의 비율이 모두 A와 같도록 하려면 B, C, D에서 검은색 물감을 각각 몇 mL씩 더 섞어야 하는지 구하시오.

B ➡ ☐ mL   C ➡ ☐ mL   D ➡ ☐ mL

03 C에서 흰색 물감에 대한 검은색 물감의 비율을 0.04와 같거나 작게 하려면 무슨 색 물감을 몇 mL 이상 더 섞어야 하는지 구하시오.

(   )

04 D에서 흰색 물감을 80 mL 더 섞으면 검은색 물감은 몇 mL 더 섞어야 흰색 물감에 대한 검은색 물감의 비율이 변하지 않는지 구하시오.

(   )

각 마을에 살고 있는 남자와 여자 수를 조사하여 나타낸 표입니다. ☐ 안에 알맞게 써넣으시오. (05~08)

	남자 수(명)	여자 수(명)
해님 마을	1200	1500
달님 마을	960	1080
별님 마을	1400	1330
하늘 마을	1250	1150

05 마을별로 남자 수에 대한 여자 수의 비율을 각각 구하시오.

해님 마을 : ☐   달님 마을 : ☐

별님 마을 : ☐   하늘 마을 : ☐

06 달님 마을에서 여자 수에 대한 남자 수의 비율이 1보다 크려면 ☐ 수가 적어도 ☐명 더 있어야 합니다.

07 별님 마을에서 남자 수에 대한 여자 수의 비율이 1$\frac{1}{5}$이 되려면 ☐ 수가 ☐명 더 있어야 합니다.

08 하늘 마을에서 남자 수에 대한 여자 수의 비율이 1보다는 크고 2보다는 작게 되려면 ☐ 수가 가장 적게는 ☐명, 가장 많게는 ☐명 더 있어야 합니다.

한별이와 효근이는 일정한 빠르기로 걷고 있습니다. 한별이는 960 m를 걷는데 12분이 걸렸고, 효근이는 1200 m를 걷는데 16분이 걸렸습니다. 두 사람 중 더 빨리 걸은 사람은 누구인지 알아보시오. (01~03)

01 한별이의 걸린 시간에 대한 걸은 거리의 비율은 얼마입니까?

( )

02 효근이의 걸린 시간에 대한 걸은 거리의 비율은 얼마입니까?

( )

03 두 사람 중 더 빨리 걸은 사람은 누구입니까?

( )

동민이와 웅이는 야구 대회에 나갔습니다. 전체 타수에 대한 안타 수의 비율을 비교하여 누구의 타율이 더 높은지 알아보시오. (04~06)

> 동민 : 나는 **20**타수 중에서 안타를 **6**개 쳤어.
> 웅이 : 나는 **25**타수 중에서 안타를 **9**개 쳤어.

04 동민이의 타율은 얼마인지 소수로 나타내시오.

( )

05 웅이의 타율은 얼마인지 소수로 나타내시오.

( )

06 두 사람 중 누구의 타율이 더 높습니까?

( )

 걸린 시간에 대한 간 거리의 비율이 다음과 같이 주어졌을 때 ☐ 안에 알맞은 수를 써넣으시오. (07~08)

07 **70** 간 거리 ➡ **210 km** 걸린 시간 ➡ ☐시간

08 **85** 간 거리 ➡ ☐ **km** 걸린 시간 ➡ **4시간**

 넓이에 대한 인구 수의 비율이 다음과 같이 주어졌을 때 ☐ 안에 알맞은 수를 써넣으시오. (09~10)

09 **4500** 인구 수 ➡ **36000명** 넓이 ➡ ☐ km²

10 **6200** 인구 수 ➡ ☐ 명 넓이 ➡ **15 km²**

 A, B, C, D 4가지 방법으로 검은색 물감과 흰색 물감을 섞어 회색 물감을 만들었습니다. 물음에 답하시오. (11~12)

	검은색 물감(mL)	흰색 물감(mL)
A	30	120
B	21	140
C	20	200
D	32	160

11 A, B, C, D 4가지 방법 중 가장 진한 회색 물감을 만든 경우는 어느 것입니까?

(   )

12 흰색 물감에 대한 검은색 물감의 비율이 모두 A와 같도록 하려면 B, C, D에서 검은색 물감을 각각 몇 mL씩 더 섞어야 합니까?

B (   ), C (   ), D (   )

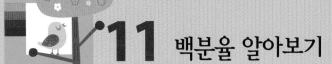

11 백분율 알아보기

- 기준량을 100으로 할 때의 비율을 백분율이라고 합니다.
  백분율은 기호 %를 사용하여 나타냅니다.

  비율 $\dfrac{79}{100}$ 를 79 %라 쓰고 79퍼센트라고 읽습니다.

- 비율 $\dfrac{17}{50}$ 을 백분율로 나타내기

  방법 ① 기준량이 100인 비율로 나타낸 후 백분율로 나타내기

  $$\dfrac{17}{50} = \dfrac{34}{100} = 34(\%)$$

  방법 ② 비율에 100을 곱해서 나온 값에 기호 % 붙이기

  $$\dfrac{17}{50} \times 100 = 34(\%)$$

 그림을 보고 ☐ 안에 알맞은 수를 써넣으시오. (01~02)

01

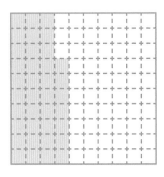

$$\dfrac{37}{100} = \boxed{} \%$$

02

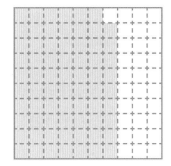

$$\dfrac{69}{100} = \boxed{} \%$$

 ☐ 안에 알맞은 수를 써넣으시오. (03~06)

03 $\dfrac{11}{25} = \dfrac{\boxed{}}{100} \Rightarrow \dfrac{\boxed{}}{100} \times 100 = \boxed{} (\%)$

04 $\dfrac{17}{20} = \dfrac{\boxed{}}{100} \Rightarrow \dfrac{\boxed{}}{100} \times 100 = \boxed{} (\%)$

05 $0.21 \Rightarrow 0.21 \times \boxed{} = \boxed{} (\%)$

06 $0.93 \Rightarrow 0.93 \times \boxed{} = \boxed{} (\%)$

□ 안에 알맞은 수를 써넣으시오. (07~10)

07 33 % ➡ $\dfrac{\boxed{}}{100}$ = $\boxed{}$

08 49 % ➡ $\dfrac{\boxed{}}{100}$ = $\boxed{}$

09 56 % ➡ $\dfrac{\boxed{}}{100}$ = $\boxed{}$

10 87 % ➡ $\dfrac{\boxed{}}{100}$ = $\boxed{}$

 비율을 백분율로 나타내시오. (11~16)

11 $\dfrac{4}{5}$ ➡ $\boxed{}$ %

12 0.7 ➡ $\boxed{}$ %

13 $\dfrac{13}{25}$ ➡ $\boxed{}$ %

14 0.62 ➡ $\boxed{}$ %

15 $\dfrac{37}{50}$ ➡ $\boxed{}$ %

16 0.98 ➡ $\boxed{}$ %

 백분율을 기약분수와 소수로 각각 나타내시오. (17~20)

17 15 % ➡ 분수 (   )
              소수 (   )

18 28 % ➡ 분수 (   )
              소수 (   )

19 88 % ➡ 분수 (   )
              소수 (   )

20 95 % ➡ 분수 (   )
              소수 (   )

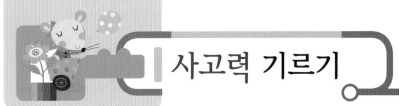

1 사고력 기르기

백분율을 분수와 소수로 나타낼 때 ☐ 안에 알맞은 수를 써넣으시오. (01~08)

01 52 % ➡ $\dfrac{\boxed{}}{100}$ $\dfrac{26}{\boxed{}}$ $\dfrac{\boxed{}}{25}$ 0.$\boxed{}$

02 70 % ➡ $\dfrac{\boxed{}}{100}$ $\dfrac{35}{\boxed{}}$ $\dfrac{\boxed{}}{20}$ $\dfrac{7}{\boxed{}}$ 0.$\boxed{}$

03 84 % ➡ $\dfrac{\boxed{}}{100}$ $\dfrac{42}{\boxed{}}$ $\dfrac{\boxed{}}{25}$ 0.$\boxed{}$

04 110 % ➡ $\boxed{}\dfrac{\boxed{}}{100}$ $\boxed{}\dfrac{5}{\boxed{}}$ $\boxed{}\dfrac{\boxed{}}{20}$ $\boxed{}\dfrac{1}{\boxed{}}$ 1.$\boxed{}$

05 256 % ➡ $\boxed{}\dfrac{\boxed{}}{100}$ $\boxed{}\dfrac{28}{\boxed{}}$ $\boxed{}\dfrac{\boxed{}}{25}$ 2.$\boxed{}$

06 425 % ➡ $\boxed{}\dfrac{\boxed{}}{100}$ $\boxed{}\dfrac{5}{\boxed{}}$ $\boxed{}\dfrac{\boxed{}}{4}$ 4.$\boxed{}$

07 3.6 % ➡ $\dfrac{\boxed{}}{1000}$ $\dfrac{18}{\boxed{}}$ $\dfrac{\boxed{}}{250}$ 0.0$\boxed{}$

08 15.8 % ➡ $\dfrac{\boxed{}}{1000}$ $\dfrac{79}{\boxed{}}$ 0.$\boxed{}$

그림을 보고 전체에 대한 색칠한 부분의 비율을 백분율로 나타내시오. (09~12)

09

(   )

10

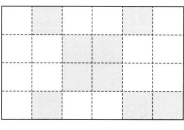

(   )

11

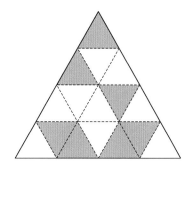

(   )

12

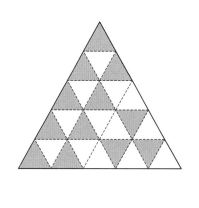

(   )

그림을 보고 색칠한 부분에 대한 색칠하지 않은 부분의 비율을 백분율로 나타내시오.

(13~16)

13

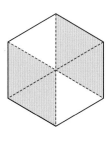

(   )

14

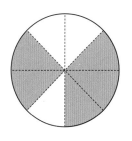

(   )

15

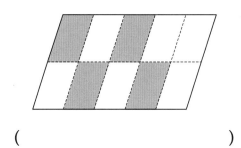

(   )

16

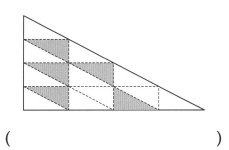

(   )

사고력 기르기

Step 2

 다음을 보고 ♥가 될 수 있는 자연수를 모두 구하시오. (01~09)

01 $\dfrac{\heartsuit}{5}$ ➡ 25 % 이상 80 % 이하   (   )

02 $\dfrac{\heartsuit}{8}$ ➡ 30 % 이상 75 % 이하   (   )

03 $\dfrac{\heartsuit}{10}$ ➡ 18 % 이상 62 % 이하   (   )

04 $\dfrac{\heartsuit}{16}$ ➡ 40 % 이상 68 % 이하   (   )

05 $\dfrac{\heartsuit}{20}$ ➡ 85 % 이상 100 % 이하   (   )

06 $\dfrac{\heartsuit}{25}$ ➡ 90 % 이상 110 % 이하   (   )

07 $\dfrac{\heartsuit}{50}$ ➡ 99 % 이상 108 % 이하   (   )

08 $\dfrac{\heartsuit}{100}$ ➡ 154 % 이상 158 % 이하   (   )

09 $\dfrac{\heartsuit}{250}$ ➡ 245 % 이상 246 % 이하   (   )

분수를 백분율로 나타낸 것입니다. ♥와 ☆이 될 수 있는 수 중 가장 작은 수를 각각 구하시오. (10~21)

10
$$\frac{☆}{♥} \rightarrow 24 \%$$
♥ = ☐   ☆ = ☐

11
$$\frac{☆}{♥} \rightarrow 32 \%$$
♥ = ☐   ☆ = ☐

12
$$\frac{☆}{♥} \rightarrow 45 \%$$
♥ = ☐   ☆ = ☐

13
$$\frac{☆}{♥} \rightarrow 55 \%$$
♥ = ☐   ☆ = ☐

14
$$\frac{☆}{♥} \rightarrow 125 \%$$
♥ = ☐   ☆ = ☐

15
$$\frac{☆}{♥} \rightarrow 248 \%$$
♥ = ☐   ☆ = ☐

16
$$\frac{☆}{♥} \rightarrow 360 \%$$
♥ = ☐   ☆ = ☐

17
$$\frac{☆}{♥} \rightarrow 420 \%$$
♥ = ☐   ☆ = ☐

18
$$\frac{☆}{♥} \rightarrow 12.8 \%$$
♥ = ☐   ☆ = ☐

19
$$\frac{☆}{♥} \rightarrow 35.5 \%$$
♥ = ☐   ☆ = ☐

20
$$\frac{☆}{♥} \rightarrow 4.25 \%$$
♥ = ☐   ☆ = ☐

21
$$\frac{☆}{♥} \rightarrow 20.48 \%$$
♥ = ☐   ☆ = ☐

 실력 점검

 ☐ 안에 알맞은 수를 써넣으시오. (01~04)

01 $\dfrac{7}{20} = \dfrac{\boxed{}}{100} \Rightarrow \dfrac{\boxed{}}{100} \times 100 = \boxed{}$ (%)

02 $0.54 \Rightarrow 0.54 \times \boxed{} = \boxed{}$ (%)

03 $67\% = \dfrac{\boxed{}}{100} = \boxed{}$

04 $89\% = \dfrac{\boxed{}}{100} = \boxed{}$

 비율을 백분율로 나타내시오. (05~10)

05 $\dfrac{1}{2} \Rightarrow \boxed{}$ %

06 $0.9 \Rightarrow \boxed{}$ %

07 $\dfrac{11}{20} \Rightarrow \boxed{}$ %

08 $0.48 \Rightarrow \boxed{}$ %

09 $\dfrac{18}{25} \Rightarrow \boxed{}$ %

10 $0.19 \Rightarrow \boxed{}$ %

 백분율을 기약분수와 소수로 각각 나타내시오. (11~14)

11 18% ⇒ 분수 (   )
　　　　　 소수 (   )

12 66% ⇒ 분수 (   )
　　　　　 소수 (   )

13 85% ⇒ 분수 (   )
　　　　　 소수 (   )

14 94% ⇒ 분수 (   )
　　　　　 소수 (   )

 그림을 보고 전체에 대한 색칠한 부분의 비율을 백분율로 나타내시오. (15~16)

15

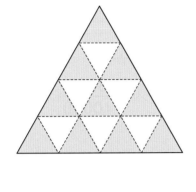

(   )

16

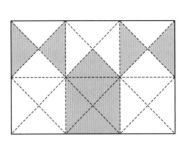

(   )

 다음을 보고 ♥가 될 수 있는 자연수를 모두 구하시오. (17~18)

17

$$\frac{♥}{20} \Rightarrow 25\,\% \text{ 이상 } 40\,\% \text{ 이하}$$

(   )

18

$$\frac{♥}{25} \Rightarrow 60\,\% \text{ 이상 } 80\,\% \text{ 이하}$$

(   )

 분수를 백분율로 나타낸 것입니다. ♥와 ☆이 될 수 있는 수 중 가장 작은 수를 각각 구하시오. (19~20)

19

$$\frac{☆}{♥} \Rightarrow 85\,\% \qquad \Rightarrow \quad ♥ = \boxed{} \quad ☆ = \boxed{}$$

20

$$\frac{☆}{♥} \Rightarrow 47.5\,\% \qquad \Rightarrow \quad ♥ = \boxed{} \quad ☆ = \boxed{}$$

12 백분율이 사용되는 경우 알아보기

개념

물건	가방	모자
원래 가격(원)	20000	10000
할인해 판매한 가격(원)	15000	8000

① 할인해 판매한 가격은 원래 가격의 몇 %인지 구하기

〈가방〉 $\dfrac{15000}{20000} \times 100 = 75(\%)$ 〈모자〉 $\dfrac{8000}{10000} \times 100 = 80(\%)$

② 할인율 구하기

(가방의 할인율)$=100-75=25(\%)$ (모자의 할인율)$=100-80=20(\%)$

➡ 할인율이 더 높은 것은 **25** % 할인한 가방입니다.

양말과 장갑의 할인율을 구하려고 합니다. 표를 보고 ☐ 안에 알맞게 써넣으시오. (01~03)

물건	양말	장갑
원래 가격(원)	3000	5000
할인해 판매한 가격(원)	2700	4250

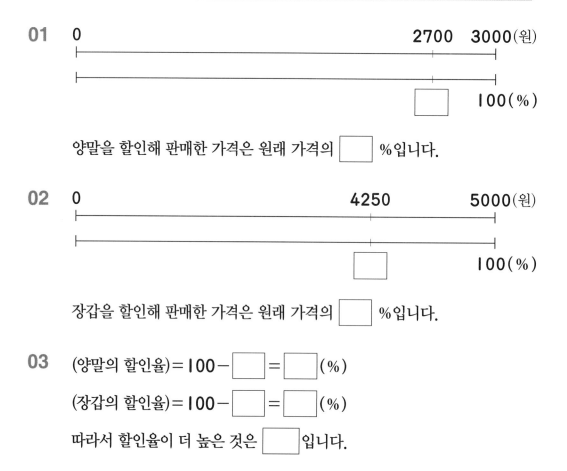

01 0 ⊢――――――――――――――――― 2700 3000(원)

☐ 100(%)

양말을 할인해 판매한 가격은 원래 가격의 ☐ %입니다.

02 0 ⊢――――――――――――― 4250 5000(원)

☐ 100(%)

장갑을 할인해 판매한 가격은 원래 가격의 ☐ %입니다.

03 (양말의 할인율)$=100-$☐$=$☐$(\%)$

(장갑의 할인율)$=100-$☐$=$☐$(\%)$

따라서 할인율이 더 높은 것은 ☐ 입니다.

영수와 동민이는 농구 연습을 했습니다. 각각 공을 던진 횟수와 공을 넣은 횟수가 표와 같을 때 물음에 답하시오. (04~06)

이름	영수	동민
공을 던진 횟수(번)	40	36
공을 넣은 횟수(번)	32	27

04 영수의 성공률은 몇 %입니까?

( )

05 동민이의 성공률은 몇 %입니까?

( )

06 누구의 성공률이 더 높습니까?

( )

웅이는 설탕 60 g을 녹여 설탕물 300 g을 만들었고, 지혜는 설탕 96 g을 녹여 설탕물 400 g을 만들었습니다. 물음에 답하시오. (07~09)

07 웅이가 만든 설탕물에서 설탕물의 양에 대한 설탕의 양의 비율은 몇 %입니까?

( )

08 지혜가 만든 설탕물에서 설탕물의 양에 대한 설탕의 양의 비율은 몇 %입니까?

( )

09 웅이와 지혜가 만든 설탕물의 진하기는 누구의 설탕물이 더 진합니까?

( )

표를 보고 물음에 답하시오. (01~05)

소금물	소금물의 양(g)	녹아 있는 소금의 양(g)	소금물의 진하기(%)
A	200		7.5
B		30	10
C		25	
D	500		

01 소금물 A에 녹아 있는 소금의 양은 몇 g인지 구하시오.

( )

02 소금물 B의 양은 몇 g인지 구하시오.

( )

03 소금물 C의 양은 소금물 A의 양의 **2**배입니다. 소금물 C의 진하기는 몇 %인지 구하시오.

( )

04 소금물 B에 녹아 있는 소금의 양은 소금물 D에 녹아 있는 소금의 양의 $\dfrac{1}{2}$입니다. 소금물 D의 진하기는 몇 %인지 구하시오.

( )

05 소금물 C의 진하기를 **4** %가 되게 하려면 소금물 C에 물을 몇 g 더 넣어야 합니까?

( )

표를 보고 물음에 답하시오. (06~09)

물건	필통	가방	장난감	그림 물감
정가(원)	2000		8000	
판매 가격(원)		10800		4000
할인율(%)	20	10		

06 필통의 판매 가격은 얼마인지 구하시오.

(   )

07 가방의 정가는 얼마인지 구하시오.

(   )

08 장난감의 할인율은 필통의 할인율의 $1\frac{1}{4}$배입니다. 장난감의 판매 가격을 구하시오.

(   )

09 그림 물감의 할인율은 가방의 할인율의 **2**배입니다. 그림 물감의 정가를 구하시오.

(   )

10 표를 보고 연이율이 가장 높은 은행부터 차례로 쓰시오.

은행	예금한 돈(만 원)	예금한 기간(년)	이자(원)
늘푸른	300	1	75000
행복한	500	2	200000
다정한	800	3	720000

(   )

표를 보고 물음에 답하시오. (01~05)

설탕물	설탕물의 양(g)	녹아 있는 설탕의 양(g)	진하기(%)
가	㉠	55	10
나	400	㉡	6.25
다	500	40	㉢
라	250	㉣	6

01 ㉠, ㉡, ㉢, ㉣에 알맞은 수를 각각 구하시오.

( )

02 설탕물 **가**와 **라**를 섞는다면 설탕물의 진하기는 몇 %가 되는지 구하시오.

( )

03 설탕물 **나**의 진하기를 **25** %가 되게 하려면 설탕물 **나**에 설탕을 몇 g 더 녹여야 하는지 구하시오.

( )

04 설탕물 **라**의 진하기를 **4** %가 되게 하려면 설탕물 **라**에 물을 몇 g 더 넣어야 하는지 구하시오.

( )

05 설탕물 **다**의 진하기를 **10** %가 되게 하려면 물을 몇 g 증발시켜야 하는지 구하시오.

( )

표를 보고 물음에 답하시오. (06~10)

물건	정가(만 원)	판매 가격(만 원)	할인율(%)
TV	㉠	114	5
세탁기	80	㉡	15
냉장고	200	184	㉢
전자렌지	㉣	37.6	6

06 ㉠, ㉡, ㉢, ㉣에 알맞은 수를 각각 구하시오.

( )

07 할인율이 가장 높은 물건은 무엇이고, 할인 받은 금액은 얼마인지 구하시오.

( )

08 TV의 할인율을 세탁기의 할인율과 같게 하여 판매하려면 TV는 얼마에 팔아야 하는지 구하시오.

( )

09 냉장고의 할인율을 전자렌지의 할인율과 같게 하여 판매하려면 냉장고는 얼마에 팔아야 하는지 구하시오.

( )

10 세탁기와 냉장고를 구입한다면 구입한 물건 전체에 대한 할인율은 몇 %인지 구하시오.

( )

 대박은행과 행운은행에 예금한 돈과 예금한 기간, 이자를 나타낸 표입니다. 물음에 답하시오.

(01~03)

은행	예금한 돈	예금한 기간	이자
대박	15만 원	1년	4500원
행운	30만 원	2년	12000원

01 대박은행의 연이율은 몇 %입니까?

( )

02 행운은행의 연이율은 몇 %입니까?

( )

03 어느 은행에 예금을 하는 것이 더 이익입니까?

( )

전교 어린이 회장 선거에서 400명이 투표에 참여했습니다. 표를 보고 물음에 답하시오.

(04~07)

후보	강지혜	김영수	무효표
득표 수(표)	200	180	20

04 강지혜의 득표율은 몇 %입니까?

( )

05 김영수의 득표율은 몇 %입니까?

( )

06 무효표는 몇 %입니까?

( )

07 두 사람 중 득표율이 높은 사람은 누구입니까?

( )

 표를 보고 물음에 답하시오. (08~10)

물건	장난감	가방	모자
정가(원)	10000		8000
판매 가격(원)		22500	
할인율(%)	20	10	

08 장난감의 판매 가격은 얼마입니까?

( )

09 가방의 정가는 얼마입니까?

( )

10 모자의 할인율은 가방의 할인율의 **2**배입니다. 모자의 판매 가격은 얼마입니까?

( )

표를 보고 물음에 답하시오. (11~12)

소금물	소금물의 양(g)	녹아 있는 소금의 양(g)	진하기(%)
가	500	50	㉠
나	300	㉡	16
다	㉢	72	12

11 ㉠, ㉡, ㉢에 알맞은 수를 각각 구하시오.

㉠ ( )
㉡ ( )
㉢ ( )

12 소금물 가와 소금물 나를 섞는다면 소금물의 진하기는 몇 %가 되는지 구하시오.

( )

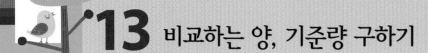
개념

• 비율과 기준량을 알면 비교하는 양을 구할 수 있습니다.

$$(\text{비교하는 양}) = (\text{기준량}) \times (\text{비율})$$

㉠ 비율 : $\dfrac{2}{5}$, 기준량 : 20 ➡ (비교하는 양)$= 20 \times \dfrac{2}{5} = 8$

• 비율과 비교하는 양을 알면 기준량을 구할 수 있습니다.

$$(\text{기준량}) = (\text{비교하는 양}) \div (\text{비율})$$

㉠ 비율 : 0.2, 비교하는 양 : 10 ➡ (기준량)$= 10 \div 0.2 = 50$

 비율과 기준량이 다음과 같을 때 비교하는 양을 구하시오. (01~02)

01

비율 : $\dfrac{4}{5}$　기준량 : 10

➡ (비교하는 양)$=$(기준량)$\times$(비율)

$$= 10 \times \dfrac{\boxed{}}{\boxed{}} = \boxed{}$$

02

비율 : 0.7　기준량 : 30

➡ (비교하는 양)$=$(기준량)$\times$(비율)

$$= 30 \times \boxed{} = \boxed{}$$

 비율과 비교하는 양이 다음과 같을 때 기준량을 구하시오. (03~04)

03

비율 : $\dfrac{8}{25}$　비교하는 양 : 80

➡ (기준량)$=$(비교하는 양)$\div$(비율)

$$= 80 \div \dfrac{\boxed{}}{\boxed{}} = \boxed{}$$

04

비율 : 0.8　비교하는 양 : 80

➡ (기준량)$=$(비교하는 양)$\div$(비율)

$$= 80 \div \boxed{} = \boxed{}$$

비율과 기준량이 다음과 같을 때 비교하는 양을 구하시오. (05~10)

05

비율 : $\dfrac{1}{2}$ 기준량 : 10

➡ 비교하는 양 : ☐

06

비율 : $\dfrac{3}{10}$ 기준량 : 40

➡ 비교하는 양 : ☐

07

비율 : $\dfrac{7}{8}$ 기준량 : 160

➡ 비교하는 양 : ☐

08

비율 : 0.3   기준량 : 20

➡ 비교하는 양 : ☐

09

비율 : 0.9   기준량 : 50

➡ 비교하는 양 : ☐

10

비율 : 0.75   기준량 : 80

➡ 비교하는 양 : ☐

비율과 비교하는 양이 다음과 같을 때 기준량을 구하시오. (11~16)

11

비율 : $\dfrac{1}{4}$ 비교하는 양 : 20

➡ 기준량 : ☐

12

비율 : $\dfrac{2}{5}$ 비교하는 양 : 10

➡ 기준량 : ☐

13

비율 : $\dfrac{3}{10}$ 비교하는 양 : 30

➡ 기준량 : ☐

14

비율 : 0.7   기준량 : 35

➡ 기준량 : ☐

15

비율 : 0.5   비교하는 양 : 45

➡ 기준량 : ☐

16

비율 : 0.25   비교하는 양 : 60

➡ 기준량 : ☐

사고력 기르기

Step 1

 □ 안에 알맞은 수를 써넣으시오. (01~16)

01 20명의 $\frac{1}{4}$은 □ 명

02 125명의 $\frac{3}{5}$은 □ 명

03 50명의 0.3은 □ 명

04 240명의 0.375는 □ 명

05 450 cm의 $\frac{2}{9}$는 □ cm

06 360 cm의 0.4는 □ cm

07 300 g의 $\frac{5}{6}$는 □ g

08 280 g의 25 %는 □ g

09 □ 원의 $\frac{3}{8}$은 240원

10 □ 원의 $\frac{2}{5}$는 360원

11 □ m의 $\frac{5}{8}$는 55 m

12 □ m의 0.35는 42 m

13 □ 명의 45 %는 234명

14 □ 명의 75 %는 45명

15 □ 개의 36 %는 72개

16 □ 개의 24 %는 36개

직사각형 ㄱㄴㄷㄹ에서 색칠한 부분의 넓이를 구하시오. (17~20)

17

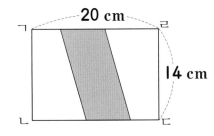

(색칠한 부분) = 전체 넓이의 $\dfrac{1}{3}$

( )

18

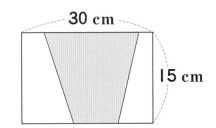

(색칠한 부분) = 전체 넓이의 0.4

( )

19

(색칠한 부분) = 전체 넓이의 30 %

( )

20

(색칠한 부분) = 전체 넓이의 60 %

( )

 그림과 같이 색칠한 부분의 넓이와 색칠한 부분이 차지하는 비율이 주어졌습니다. 원의 넓이를 구하시오. (21~24)

21

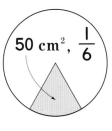

$50 \text{ cm}^2,\ \dfrac{1}{6}$

( )

22

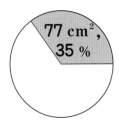

77 cm², 35 %

( )

23

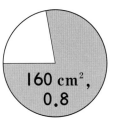

160 cm², 0.8

( )

24

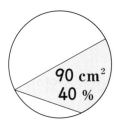

90 cm² 40 %

( )

표를 보고 물음에 답하시오. (01~05)

	사용 전 철사의 길이	사용 후 남은 철사의 길이	사용한 철사가 차지하는 비율
영수	1 m 50 cm		$\dfrac{2}{3}$
한초		1 m 20 cm	60 %
상연	4 m 20 cm		0.75
예슬		1 m 98 cm	45 %

01 영수의 남은 철사의 길이를 구하시오.

(   )

02 한초가 처음에 가지고 있던 철사의 길이를 구하시오.

(   )

03 상연이와 예슬이의 사용 후 남은 철사의 길이의 차를 구하시오.

(   )

04 한초와 예슬이가 처음에 가지고 있던 철사의 길이의 합을 구하시오.

(   )

05 상연이가 사용한 철사가 차지하는 비율이 80 %가 되려면 상연이는 철사를 몇 cm 더 사용해야 하는지 구하시오.

(   )

어느 학교의 마을별 학생 수를 나타낸 표입니다. 물음에 답하시오. (06~08)

마을	달님	해님	별님	꽃님	합계
학생 수(명)					250
비율(%)	12		32		100

06 달님 마을의 학생 수와 별님 마을의 학생 수를 각각 구하시오.

( )

07 해님 마을의 학생 수의 비율은 달님 마을의 학생 수의 비율의 $1\frac{2}{3}$배입니다. 해님 마을의 학생 수를 구하시오.

( )

08 위 표의 빈 칸을 모두 채우시오.

09 밀가루 **300 g**에 몇 가지 다른 재료를 섞어 빵을 만들었습니다. 사용한 밀가루가 재료 전체 무게의 $\frac{3}{5}$일 때 빵을 만드는데 사용한 재료 전체의 무게는 몇 **g**입니까?

( )

10 가지고 있던 끈의 길이의 **35 %**를 사용하여 물건을 포장하였더니 남은 끈의 길이가 **1 m 30 cm**였습니다. 처음에 가지고 있던 끈의 길이를 구하시오.

( )

 비율과 기준량이 다음과 같을 때 비교하는 양을 구하시오. (01~04)

01

비율 : $\dfrac{3}{5}$ 기준량 : 30

➡ (비교하는 양) $= 30 \times \dfrac{\Box}{\Box} = \Box$

02

비율 : 0.7   기준량 : 40

➡ (비교하는 양) $= 40 \times \Box = \Box$

03

비율 : $\dfrac{3}{4}$ 기준량 : 60

➡ (비교하는 양) $= \Box \times \dfrac{\Box}{\Box} = \Box$

04

비율 : 0.6   기준량 : 100

➡ (비교하는 양) $= \Box \times \Box = \Box$

 비율과 비교하는 양이 다음과 같을 때 기준량을 구하시오. (05~08)

05

비율 : $\dfrac{11}{25}$ 비교하는 양 : 44

➡ (기준량) $= 44 \div \dfrac{\Box}{\Box} = \Box$

06

비율 : 0.3   비교하는 양 : 66

➡ (기준량) $= 66 \div \Box = \Box$

07

비율 : $\dfrac{4}{5}$ 비교하는 양 : 40

➡ (기준량) $= \Box \div \dfrac{\Box}{\Box} = \Box$

08

비율 : 0.4   비교하는 양 : 32

➡ (기준량) $= \Box \div \Box = \Box$

 □ 안에 알맞은 수를 써넣으시오. (09~16)

09 10명의 $\frac{2}{5}$는 □ 명

10 45 cm의 0.2는 □ cm

11 80 g의 15 %는 □ g

12 900원의 30 %는 □ 원

13 □ 개의 $\frac{4}{5}$는 80개

14 □ 명의 0.6은 12명

15 □ kg의 15 %는 9 kg

16 □ 원의 40 %는 480원

 어느 학교의 마을별 학생 수를 나타낸 표입니다. 물음에 답하시오. (17~18)

마을	가	나	다	라	합계
학생 수(명)					400
비율(%)	15			35	100

17 가와 라 마을의 학생 수를 각각 구하시오.

가 (   ), 라 (   )

18 다 마을의 학생 수의 비율은 가 마을의 학생 수의 비율의 2배입니다. 위 표의 빈칸을 모두 채우시오.

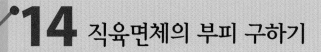

14 직육면체의 부피 구하기

1. 직육면체의 부피 구하기

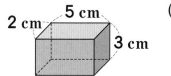

(직육면체의 부피) = (가로) × (세로) × (높이)

$= 5 \times 2 \times 3$

$= 30(\text{cm}^3)$

2. 정육면체의 부피 구하기

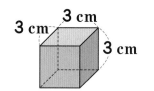

(정육면체의 부피)

= (한 모서리의 길이) × (한 모서리의 길이)

× (한 모서리의 길이)

$= 3 \times 3 \times 3 = 27(\text{cm}^3)$

 ☐ 안에 알맞은 수를 써넣으시오. (01~03)

01

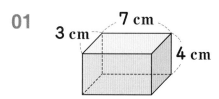

(직육면체의 부피) = ☐ × ☐ × ☐

= ☐ (cm³)

02

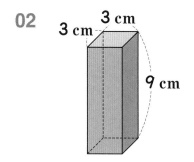

(직육면체의 부피) = ☐ × ☐ × ☐

= ☐ (cm³)

03

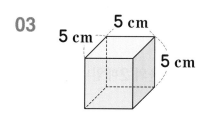

(정육면체의 부피) = ☐ × ☐ × ☐

= ☐ (cm³)

직육면체의 부피를 구하시오. (04~09)

04

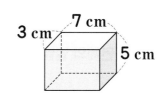
3 cm
6 cm
4 cm

(   )

05

8 cm
4 cm
5 cm

(   )

06

4 cm
4 cm
6 cm

(   )

07

3 cm
4 cm
5 cm

(   )

08

2 cm
7 cm
2 cm

(   )

09

3 cm
7 cm
5 cm

(   )

정육면체의 부피를 구하시오. (10~13)

10

4 cm
4 cm
4 cm

(   )

11

6 cm
6 cm
6 cm

(   )

12

9 cm
9 cm
9 cm

(   )

13

10 cm
10 cm
10 cm

(   )

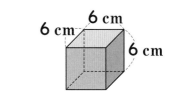

 직육면체의 부피가 주어졌습니다. ☐ 안에 알맞은 수를 써넣으시오. (01~04)

01

8 cm
5 cm
☐ cm

부피 ➡ 120 cm³

02

☐ cm
4 cm
3 cm

부피 ➡ 144 cm³

03

5 cm
8 cm
☐ cm

부피 ➡ 640 cm³

04

7 cm
☐ cm
7 cm

부피 ➡ 343 cm³

 직육면체의 밑넓이가 주어졌습니다. 직육면체의 부피를 구하시오. (05~08)

05

밑넓이 : 40 cm²
4 cm

(   )

06

8 cm
밑넓이 : 25 cm²

(   )

07

밑넓이 : 35 cm²
5 cm

(   )

08
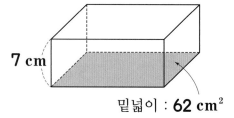
7 cm
밑넓이 : 62 cm²

(   )

두 직육면체의 부피가 같습니다. ☐ 안에 알맞은 수를 써넣으시오. (09~13)

09

밑넓이 : 30 cm²

2 cm

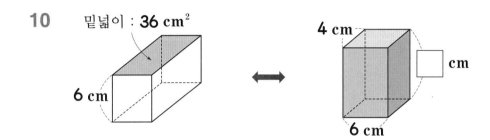

☐ cm

3 cm

2 cm

10

밑넓이 : 36 cm²

6 cm

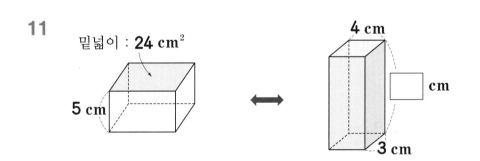

4 cm

☐ cm

6 cm

11

밑넓이 : 24 cm²

5 cm

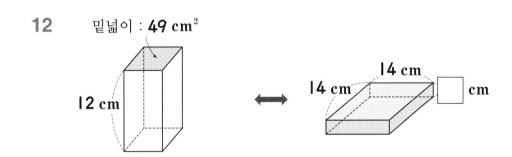

4 cm

☐ cm

3 cm

12

밑넓이 : 49 cm²

12 cm

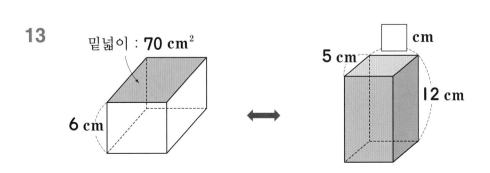

14 cm

14 cm

☐ cm

13

밑넓이 : 70 cm²

6 cm

☐ cm

5 cm

12 cm

 정육면체의 한 면의 넓이가 주어졌습니다. 이 정육면체의 부피를 구하시오. (01~04)

01 16 cm^2 (정육면체의 부피) = ☐ cm^3

02 49 cm^2 (정육면체의 부피) = ☐ cm^3

03 81 cm^2 (정육면체의 부피) = ☐ cm^3

04 144 cm^2 (정육면체의 부피) = ☐ cm^3

 주어진 직육면체의 부피의 3배인 정육면체가 있습니다. 이 정육면체의 한 면의 넓이를 구하시오. (05~08)

05

9 cm
2 cm
4 cm

(   )

06

3 cm
9 cm
9 cm

(   )

07

4 cm
9 cm
16 cm

(   )

08

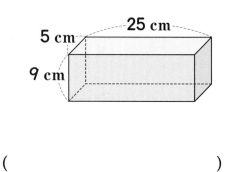

25 cm
5 cm
9 cm

(   )

그림은 직육면체 모양의 나무 도막 윗면의 가운데에 정육면체 모양의 구멍을 파서 만든 입체 도형입니다. 물음에 답하시오. (09~10)

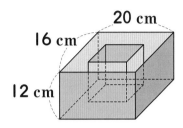

09 위 입체도형의 부피가 **2840 cm³**입니다. 정육면체 모양의 구멍은 한 모서리의 길이가 몇 **cm**인지 구하시오.

(   )

10 구멍을 더 파서 직육면체의 밑면을 관통시키려고 합니다. 더 파내야 할 나무 도막의 부피를 구하시오.

(   )

 정육면체 가의 부피는 정육면체 나의 부피의 몇 배인지 구하시오. (11~14)

11

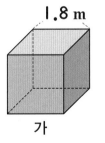

(   )

12

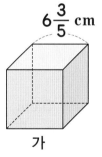

(   )

13

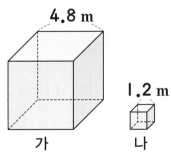

(   )

14

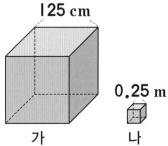

(   )

 □ 안에 알맞은 수를 써넣으시오. (01~02)

01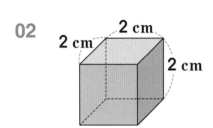

(직육면체의 부피) = □ × □ × □

= □ (cm³)

02

(정육면체의 부피) = □ × □ × □

= □ (cm³)

 직육면체의 부피를 구하시오. (03~08)

03

(   )

04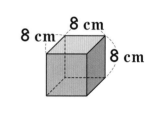

(   )

05

(   )

06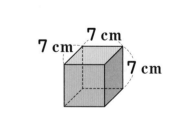

(   )

07

(   )

08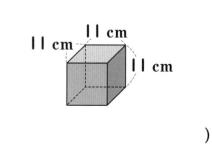

(   )

 ☐ 안에 알맞은 수를 써넣으시오. (09~10)

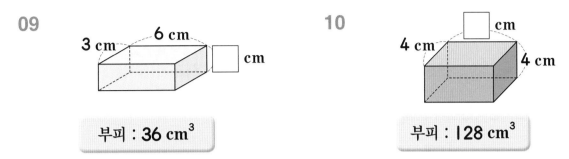

09 3 cm   6 cm   ☐ cm

부피 : **36 cm³**

10 ☐ cm   4 cm   4 cm

부피 : **128 cm³**

 두 직육면체의 부피가 같습니다. ☐ 안에 알맞은 수를 써넣으시오. (11~12)

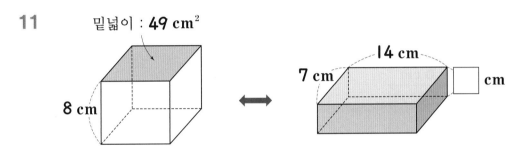

11 밑넓이 : **49 cm²**   8 cm   ⟷   7 cm   14 cm   ☐ cm

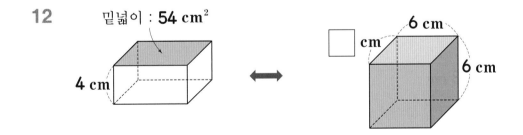

12 밑넓이 : **54 cm²**   4 cm   ⟷   ☐ cm   6 cm   6 cm

13 정육면체의 한 면의 넓이가 **144 cm²**일 때, 이 정육면체의 부피는 몇 cm³입니까?

(   )

14 한 모서리의 길이가 **10 cm**인 정육면체의 부피는 한 모서리의 길이가 **2.5 cm**인 정육면체의 부피의 몇 배입니까?

(   )

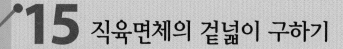

15 직육면체의 겉넓이 구하기

개념

1. 직육면체의 겉넓이 구하기

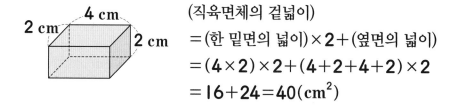

(직육면체의 겉넓이)
= (한 밑면의 넓이) × 2 + (옆면의 넓이)
= (4 × 2) × 2 + (4 + 2 + 4 + 2) × 2
= 16 + 24 = 40 (cm²)

2. 정육면체의 겉넓이 구하기

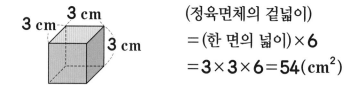

(정육면체의 겉넓이)
= (한 면의 넓이) × 6
= 3 × 3 × 6 = 54 (cm²)

 ☐ 안에 알맞은 수를 써넣으시오. (01~03)

01

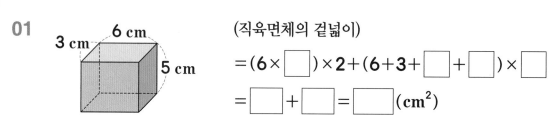

(직육면체의 겉넓이)
= (6 × ☐) × 2 + (6 + 3 + ☐ + ☐) × ☐
= ☐ + ☐ = ☐ (cm²)

02

3 cm, 3 cm, 3 cm, 7 cm

(직육면체의 겉넓이)
= (3 × ☐) × 2 + (3 + 3 + ☐ + ☐) × ☐
= ☐ + ☐ = ☐ (cm²)

03

4 cm, 4 cm, 4 cm

(정육면체의 겉넓이)
= ☐ × ☐ × ☐ = ☐ (cm²)

직육면체의 겉넓이를 구하시오. (04~09)

04

5 cm
3 cm
4 cm

(   )

05

7 cm
4 cm
4 cm

(   )

06

6 cm
4 cm
5 cm

(   )

07

8 cm
3 cm
5 cm

(   )

08

12 cm
5 cm
7 cm

(   )

09

7 cm
15 cm
6 cm

(   )

 정육면체의 겉넓이를 구하시오. (10~13)

10

2 cm
2 cm
2 cm

(   )

11

5 cm
5 cm
5 cm

(   )

12

7 cm
7 cm
7 cm

(   )

13

6 cm
6 cm
6 cm

(   )

 직육면체의 겉넓이가 주어졌습니다. ☐ 안에 알맞은 수를 써넣으시오. (01~04)

01

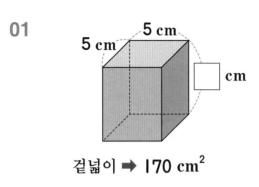

5 cm 5 cm ☐ cm

겉넓이 ➡ 170 cm²

02

☐ cm 4 cm 5 cm

겉넓이 ➡ 166 cm²

03

☐ cm 5 cm 4 cm

겉넓이 ➡ 184 cm²

04

12 cm ☐ cm 6 cm

겉넓이 ➡ 432 cm²

 어떤 직육면체를 위와 오른쪽 옆에서 본 모양입니다. 이 직육면체의 겉넓이를 구하시오.

(05~08)

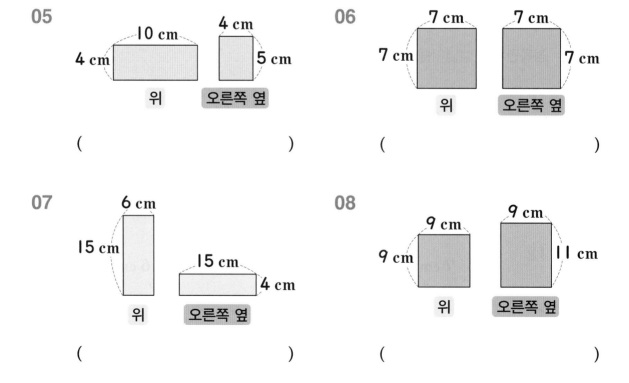

05

10 cm 4 cm 위   4 cm 5 cm 오른쪽 옆

(   )

06

7 cm 7 cm 위   7 cm 7 cm 오른쪽 옆

(   )

07

6 cm 15 cm 위   15 cm 4 cm 오른쪽 옆

(   )

08

9 cm 9 cm 위   9 cm 11 cm 오른쪽 옆

(   )

직육면체의 부피가 주어졌습니다. 이 직육면체의 겉넓이를 구하시오. (09~12)

09

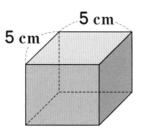

5 cm   5 cm
5 cm

부피 ➡ 100 cm³

(   )

10

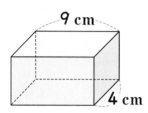

9 cm

4 cm

부피 ➡ 180 cm³

(   )

11

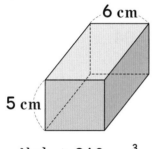

6 cm

5 cm

부피 ➡ 240 cm³

(   )

12

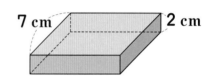

7 cm   2 cm

부피 ➡ 140 cm³

(   )

 직육면체의 한 밑면의 둘레가 주어졌습니다. 이 직육면체의 겉넓이를 구하시오. (13~14)

13

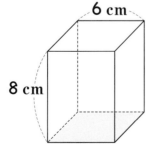

6 cm

8 cm

한 밑면의 둘레 ➡ 20 cm

(   )

14

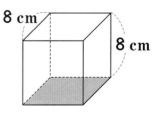

8 cm

8 cm

한 밑면의 둘레 ➡ 32 cm

(   )

 직육면체에 주어진 조건을 이용하여 ☐ 안에 알맞은 수를 써넣으시오. (01~06)

01

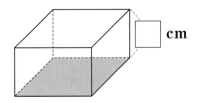

☐ cm

색칠한 밑면의 둘레 ➡ **40 cm**
색칠한 밑면의 넓이 ➡ **96 cm²**
직육면체의 겉넓이 ➡ **432 cm²**

02

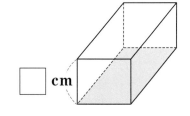

☐ cm

색칠한 밑면의 둘레 ➡ **38 cm**
색칠한 밑면의 넓이 ➡ **84 cm²**
직육면체의 겉넓이 ➡ **358 cm²**

03

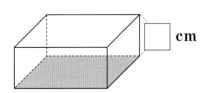

☐ cm

색칠한 밑면의 둘레 ➡ **28 cm**
색칠한 밑면의 넓이 ➡ **40 cm²**
직육면체의 겉넓이 ➡ **164 cm²**

04

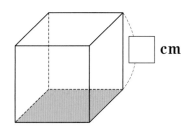

☐ cm

색칠한 밑면의 둘레 ➡ **32 cm**
색칠한 밑면의 넓이 ➡ **64 cm²**
직육면체의 겉넓이 ➡ **384 cm²**

05

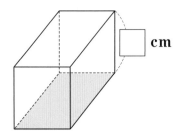

☐ cm

색칠한 밑면의 둘레 ➡ **20 cm**
색칠한 밑면의 넓이 ➡ **24 cm²**
직육면체의 겉넓이 ➡ **128 cm²**

06

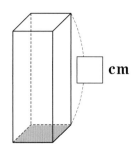

☐ cm

색칠한 밑면의 둘레 ➡ **12 cm**
색칠한 밑면의 넓이 ➡ **9 cm²**
직육면체의 겉넓이 ➡ **126 cm²**

전개도의 둘레가 주어졌습니다. 이 전개도로 만들어지는 직육면체의 겉넓이를 구하시오.

(07~10)

07

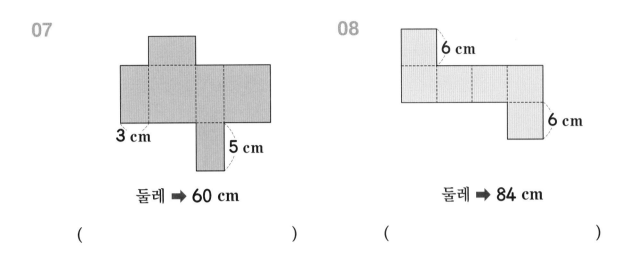

3 cm
5 cm

둘레 ➡ 60 cm

(   )

08

6 cm

6 cm

둘레 ➡ 84 cm

(   )

09

8 cm   4 cm

둘레 ➡ 90 cm

(   )

10

12 cm

5 cm

둘레 ➡ 104 cm

(   )

11   다음은 큰 직육면체에서 작은 직육면체를 잘라내고 남은 입체도형입니다. 이 입체도형의 겉넓이를 구하시오.

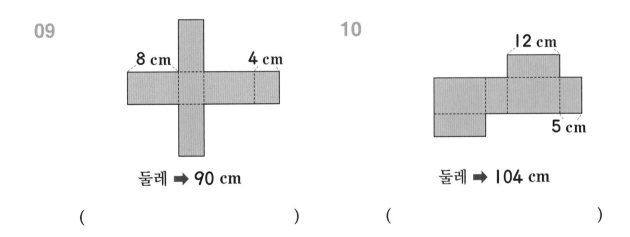

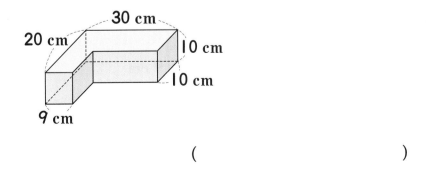

30 cm
20 cm
10 cm
10 cm
9 cm

(   )

 □ 안에 알맞은 수를 써넣으시오. (01~02)

01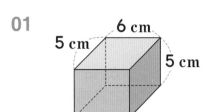

(직육면체의 겉넓이)

$= (6 \times \boxed{}) \times 2 + (6 + 5 + \boxed{} + \boxed{}) \times \boxed{}$

$= \boxed{} + \boxed{} = \boxed{} \ (\text{cm}^2)$

02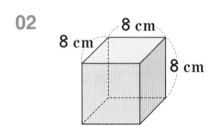

(정육면체의 겉넓이)

$= (\boxed{} \times \boxed{}) \times \boxed{}$

$= \boxed{} \ (\text{cm}^2)$

 직육면체의 겉넓이를 구하시오. (03~08)

03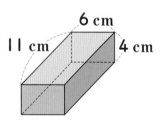

(   )

04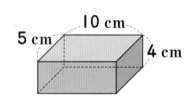

(   )

05

(   )

06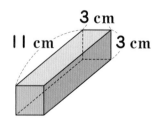

(   )

07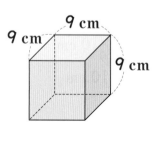

(   )

08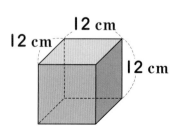

(   )

  ☐ 안에 알맞은 수를 써넣으시오. (09~10)

09

7 cm
7 cm   7 cm

☐ cm

겉넓이 : 294 cm²

10

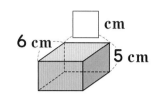

6 cm   ☐ cm   5 cm

겉넓이 : 236 cm²

11 어떤 직육면체를 위와 오른쪽 옆에서 본 모양입니다. 이 직육면체의 겉넓이를 구하시오.

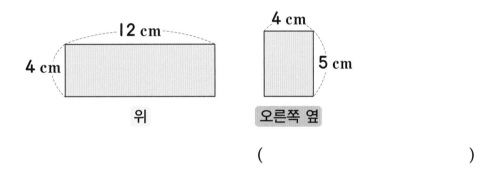

12 cm
4 cm

위

4 cm
5 cm

오른쪽 옆

(   )

 직육면체의 겉넓이를 구하시오. (12~13)

12

4 cm
6 cm

둘레 : 16 cm

(   )

13

6 cm
7 cm

둘레 : 28 cm

(   )

14 오른쪽 전개도의 둘레는 112 cm입니다. 전개도로 만들 수 있는 직육면체의 겉넓이를 구하시오.

(   )

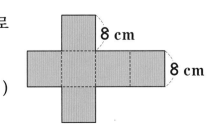

8 cm
8 cm

Memo

정답 및 해설

6학년 상권

01 $\dfrac{1}{5}$ 02 $\dfrac{2}{3}$

03 $\dfrac{1}{8}$ 04 $\dfrac{1}{9}$

05 $\dfrac{3}{7}$ 06 $\dfrac{4}{13}$

07 $\dfrac{8}{3}$, $2\dfrac{2}{3}$ 08 $\dfrac{15}{7}$, $2\dfrac{1}{7}$

09 2, 3 10 3, 3

11 3, 12, 12, 4 12 4, 28, 28, 7

13 $\dfrac{2}{9}$ 14 $\dfrac{2}{11}$

15 $\dfrac{3}{10}$ 16 $\dfrac{3}{17}$

17 $\dfrac{5}{12}$ 18 $\dfrac{7}{36}$

19 $\dfrac{7}{65}$ 20 $\dfrac{17}{80}$

사고력 기르기 Step 1 | 6쪽

01 9 02 20

03 32 04 36

05 13 06 31

07 29 08 55

09 2 10 3

11 2 12 4

13 10 14 12

15 9, 3 16 8, 4

17 9, 3 18 6, 4

19 5, 10 20 4, 8

21 8, 12

01 $\dfrac{6}{\square}=\dfrac{2}{3}=\dfrac{6}{9}$에서 $\square=9$입니다.

09 $\dfrac{4}{5}\div\square=\dfrac{4\div\square}{5}=\dfrac{2}{5}$에서 $\square=2$입니다.

11 $\dfrac{9}{25}\div\square=\dfrac{9}{50}$ ➡ $\dfrac{18}{50}\div\square=\dfrac{9}{50}$ ➡ $\square=2$

15 $\dfrac{\heartsuit}{7}=\dfrac{9}{7}$에서 $\heartsuit=9$,

$\dfrac{9}{16}\div\stackrel{\star}{=}\dfrac{9\div\stackrel{\star}{}}{16}=\dfrac{3}{16}$에서 $\stackrel{\star}{}=3$입니다.

사고력 기르기 Step 2 | 8쪽

01 26, 10 / 39, 15 / 52, 20 / 65, 25 / 78, 30 / 91, 35

02 28, 18 / 42, 27 / 56, 36 / 70, 45 / 84, 54 / 98, 63

03 1, 2, 3, 4, 5 04 1, 2, 3, 4

05 1, 2, 3 06 1, 2, 3, 4, 5, 6

07 2 08 3

09 4 10 7

11 3, 4 12 5, 3

13 5, 4 14 3, 5 / 6, 10

15 4, 3 / 8, 6

16 3, 2 / 9, 6 / 15, 10

01 $\dfrac{\heartsuit}{\triangle}=\dfrac{13}{5}=\dfrac{26}{10}=\dfrac{39}{15}=\dfrac{52}{20}=\dfrac{65}{25}$

$=\dfrac{78}{30}=\dfrac{91}{35}\cdots\cdots$

이고 $\heartsuit$와 $\triangle$는 두 자리 수임에 주의합니다.

07 $\dfrac{8}{13}\div\heartsuit\div\heartsuit=\dfrac{8\div\heartsuit\div\heartsuit}{13}=\dfrac{2}{13}$에서 $\heartsuit=2$
입니다.

실력 점검 | 10쪽

01 $\dfrac{1}{10}$ 02 $\dfrac{5}{7}$

03 $\dfrac{10}{11}$ 04 $\dfrac{15}{4}$, $3\dfrac{3}{4}$

05 2, 4 06 2, 2

07 4, 20, 20, 5 08 3, 21, 21, 7

09 $\dfrac{2}{13}$ 10 $\dfrac{3}{11}$

11	$\dfrac{5}{21}$	12	$\dfrac{7}{16}$
13	$\dfrac{2}{35}$	14	$\dfrac{3}{14}$
15	$\dfrac{3}{28}$	16	$\dfrac{11}{30}$
17	12	18	17
19	6	20	4
21	7, 2	22	3, 6
23	1, 2, 3	24	1, 2, 3, 4
25	4, 3	26	3, 2 / 9, 6

05	20	06	39
07	24	08	33
09	51	10	63
11	36	12	49
13	57	14	84
15	4, 9	16	2, 3
17	6, 5	18	3, 2
19	20, 3	20	30, 11
21	40, 3		

개념 02 (가분수)÷(자연수)의 계산 | 12쪽

01	2, 4	02	3, 3
03	3, 4	04	5, 3
05	$\dfrac{1}{3}, \dfrac{1}{3}, \dfrac{1}{3}, \dfrac{8}{9}$	06	$\dfrac{1}{4}, \dfrac{1}{4}, \dfrac{1}{4}, \dfrac{9}{20}$
07	$\dfrac{1}{2}, \dfrac{7}{8}$	08	$\dfrac{1}{5}, \dfrac{6}{25}$
09	$\dfrac{1}{5}, \dfrac{8}{15}$	10	$\dfrac{1}{4}, \dfrac{7}{8}$

11 $\dfrac{14}{9} \div 6 = \dfrac{14}{9} \times \dfrac{1}{6} = \dfrac{14}{54} = \dfrac{7}{27}$

12 $\dfrac{30}{11} \div 12 = \dfrac{30}{11} \times \dfrac{1}{12} = \dfrac{30}{132} = \dfrac{5}{22}$

13	$\dfrac{3}{4}$	14	$\dfrac{4}{5}$
15	$\dfrac{11}{12}$	16	$\dfrac{5}{18}$
17	$\dfrac{16}{45}$	18	$\dfrac{8}{45}$
19	$\dfrac{14}{15}$	20	$\dfrac{9}{28}$

사고력 기르기 Step 1 | 14쪽

01	3	02	6
03	5	04	3

사고력 기르기 Step 2 | 16쪽

01 8, 2 / 12, 3 / 16, 4 / 24, 6 / 28, 7 / 32, 8 / 36, 9
02 25, 5 / 35, 7
03 32, 4 / 40, 5 / 64, 8
04 9, 2 / 18, 4 / 27, 6 / 36, 8
05 3 / 5, 7, 11
06 3 / 2, 4, 7, 8, 11, 13, 14
07 6 / 5, 7, 11, 13, 17
08 2 / 3, 7, 9, 11, 13, 17, 19

09	2, 1	10	3, 13
11	4, 23	12	5, 11
13	4, 7	14	4, 15

09 $\dfrac{15}{7 \times ♥} = \dfrac{14 + ☆}{14}$ 에서 ♥=2, ☆=1입니다.

실력 점검 | 18쪽

01	5, 2	02	3, 3
03	$\dfrac{1}{4}, \dfrac{1}{4}, \dfrac{1}{4}, \dfrac{11}{28}$	04	$\dfrac{1}{3}, \dfrac{13}{18}$
05	$\dfrac{1}{5}, \dfrac{17}{40}$	06	$\dfrac{2}{7}$
07	$\dfrac{2}{5}$	08	$\dfrac{13}{25}$
09	$\dfrac{5}{6}$	10	$\dfrac{19}{32}$
11	$\dfrac{2}{7}$	12	$\dfrac{19}{28}$

13	$\dfrac{17}{45}$	14	3
15	35	16	6
17	21	18	3, 6
19	5, 3		
20	9, 3 / 15, 5 / 21, 7 / 27, 9		
21	2, 2	22	3, 2

11	7	12	9
13	6	14	8
15	풀이 참조	16	풀이 참조
17	풀이 참조	18	풀이 참조
19	풀이 참조	20	풀이 참조

개념 03 (대분수)÷(자연수)의 계산 | 20쪽

01 12, 12, 4

02 15, 15, 60, 15

03 25, 25, $\dfrac{1}{3}$, $\dfrac{25}{27}$

04 23, 23, $\dfrac{1}{6}$, $\dfrac{23}{18}$, $1\dfrac{5}{18}$

05 5, 5, 4, $\dfrac{5}{12}$ / $\dfrac{5}{12}$ / $\dfrac{5}{12}$

06 11, 11, 7, $\dfrac{11}{42}$ / $\dfrac{11}{42}$ / $\dfrac{11}{42}$

07	$\dfrac{7}{12}$	08	$\dfrac{19}{35}$
09	$\dfrac{8}{45}$	10	$\dfrac{2}{25}$
11	$\dfrac{9}{80}$	12	$\dfrac{2}{9}$
13	$\dfrac{11}{24}$	14	$2\dfrac{1}{8}$
15	$1\dfrac{22}{35}$	16	$2\dfrac{1}{10}$

사고력 기르기 Step 1 | 22쪽

01	3	02	6
03	7	04	9
05	7	06	9
07	7	08	5
09	5	10	4

15 $15\dfrac{5}{9}\div 5 = (15\div 5) + \left(\dfrac{5}{9}\div 5\right)$

$\qquad = 3 + \dfrac{1}{9}$

$\qquad = 3\dfrac{1}{9}$

16 $20\dfrac{4}{7}\div 5 = (20\div 5) + \left(\dfrac{4}{7}\div 5\right)$

$\qquad = 4 + \dfrac{4}{35}$

$\qquad = 4\dfrac{4}{35}$

17 $18\dfrac{3}{8}\div 4 = (18\div 4) + \left(\dfrac{3}{8}\div 4\right)$

$\qquad = 4\dfrac{1}{2} + \dfrac{3}{32}$

$\qquad = 4\dfrac{19}{32}$

18 $24\dfrac{5}{12}\div 7 = (24\div 7) + \left(\dfrac{5}{12}\div 7\right)$

$\qquad = 3\dfrac{3}{7} + \dfrac{5}{84}$

$\qquad = 3\dfrac{41}{84}$

19 $34\dfrac{13}{15}\div 8 = (34\div 8) + \left(\dfrac{13}{15}\div 8\right)$

$\qquad = 4\dfrac{1}{4} + \dfrac{13}{120}$

$\qquad = 4\dfrac{43}{120}$

20 $45\dfrac{9}{20}\div 6 = (45\div 6) + \left(\dfrac{9}{20}\div 6\right)$

$\qquad = 7\dfrac{1}{2} + \dfrac{3}{40}$

$\qquad = 7\dfrac{23}{40}$

사고력 기르기

01 3, 6
02 5, 4
03 5, 3
04 2, 5
05 9, 3
06 7, 14
07 $\dfrac{13}{20}$
08 $2\dfrac{7}{11}$
09 $\dfrac{5}{7}$
10 2, 6 / 3, 4 / 4, 3 / 6, 2
11 2, 9 / 3, 6 / 6, 3 / 9, 2
12 2, 10 / 4, 5 / 5, 4 / 10, 2
13 2, 18 / 3, 12 / 4, 9 / 6, 6 / 9, 4 / 12, 3 / 18, 2

01 $2\dfrac{♥}{5}÷☆=\dfrac{10+♥}{5×☆}=\dfrac{13}{30}$ 에서
☆=6, ♥=3입니다.

07 $2\dfrac{5}{6}÷\blacksquare=\dfrac{17}{6×\blacksquare}=\dfrac{12+\triangle}{12}$ 에서
$\blacksquare=2$, $\triangle=5$이므로
$\blacksquare\dfrac{3}{\triangle}÷4=2\dfrac{3}{5}÷4=\dfrac{13}{5×4}=\dfrac{13}{20}$ 입니다.

08 $\blacksquare=7$, $\triangle=11$입니다.

09 $\blacksquare=5$, $\triangle=7$입니다.

10 $\dfrac{12}{7×♥}=\dfrac{☆}{7}$ 에서 ♥는 12의 약수이어야 하고,
12의 약수 중 조건에 맞는 수는 2, 3, 4, 6입니다.

실력 점검

01 11, 11, 22, 11, 1, 5
02 16, 16, 48, 16
03 19, 19, 3, $\dfrac{19}{24}$
04 43, 43, 4, $\dfrac{43}{28}$, $1\dfrac{15}{28}$
05 $\dfrac{3}{8}$
06 $\dfrac{5}{9}$
07 $1\dfrac{15}{16}$
08 $1\dfrac{8}{9}$

09 $2\dfrac{3}{5}$
10 $1\dfrac{17}{30}$
11 $\dfrac{11}{12}$
12 $\dfrac{11}{12}$
13 $\dfrac{7}{13}$
14 $1\dfrac{7}{8}$
15 4
16 5
17 6
18 5
19 풀이 참조
20 풀이 참조
21 2, 8 / 4, 4 / 8, 2

19 $8\dfrac{3}{5}÷4=(8÷4)+\left(\dfrac{3}{5}÷4\right)$
$=2+\dfrac{3}{20}$
$=2\dfrac{3}{20}$

20 $10\dfrac{2}{7}÷2=(10÷2)+\left(\dfrac{2}{7}÷2\right)$
$=5+\dfrac{1}{7}$
$=5\dfrac{1}{7}$

개념 04 몫이 1보다 큰 (소수)÷(자연수)의 계산

01 1.1
02 2.1
03 1.23
04 3.22
05 84, 84, 14, 1.4
06 1742, 1742, 134, 1.34
07 1, 3 / 5 / 15
08 2, 3 / 14 / 21
09 3, 6, 4 / 6 / 12 / 8
10 2, 1, 3 / 8 / 4 / 12
11 1.3
12 1.2
13 3.6
14 2.38
15 1.32
16 2.15
17 5.24
18 2.56
19 1.27

01 8 / 2, 5, 3, 2 / 1, 3 / 1, 2 / 1, 2 / 1, 2

02 7 / 3, 0, 1, 2 / 2, 1 / 2, 0 / 1, 2 / 1, 2

03 2 / 4, 7, 0, 7 / 4, 5 / 2, 0 / 8 / 2, 7 / 2, 7

04 4 / 4, 4, 8, 8 / 4, 2 / 2, 8 / 4 / 4, 8 / 4, 8

05 6 / 2, 7, 6, 8 / 2, 4 / 3, 6 / 3, 2 / 4 / 4, 8

06 5 / 6, 8, 8, 5 / 6, 3 / 5, 8 / 5, 4 / 4 / 4, 5

07 풀이 참조   **08** 풀이 참조

07

```
      2.4 8
  2)4.9 6
    4
    ─────
      9
      8
    ─────
      1 6
      1 6
    ─────
        0
```

```
      3.4 7
  2)6.9 4
    6
    ─────
      9
      8
    ─────
      1 4
      1 4
    ─────
        0
```

```
      4.7 3
  2)9.4 6
    8
    ─────
      1 4
      1 4
    ─────
        6
        6
    ─────
        0
```

```
      4.8 2
  2)9.6 4
    8
    ─────
      1 6
      1 6
    ─────
        4
        4
    ─────
        0
```

```
      1.7 3
  4)6.9 2
    4
    ─────
      2 9
      2 8
    ─────
        1 2
        1 2
    ─────
          0
```

```
      1.5 4
  6)9.2 4
    6
    ─────
      3 2
      3 0
    ─────
        2 4
        2 4
    ─────
          0
```

```
      1.5 7
  6)9.4 2
    6
    ─────
      3 4
      3 0
    ─────
        4 2
        4 2
    ─────
          0
```

08

```
      1.4 9
  4)5.9 6
    4
    ─────
      1 9
      1 6
    ─────
        3 6
        3 6
    ─────
          0
```

```
      2.3 9
  4)9.5 6
    8
    ─────
      1 5
      1 2
    ─────
        3 6
        3 6
    ─────
          0
```

```
      1.5 9
  6)9.5 4
    6
    ─────
      3 5
      3 0
    ─────
        5 4
        5 4
    ─────
          0
```

01 1, 7   **02** 5, 2

03 2, 1, 1, 2, 2 / 4, 2, 2, 4, 4 / 6, 3, 3, 6, 6 / 8, 4, 4, 8, 8

04 4, 1, 3, 5, 2   **05** 3, 1, 4, 2, 5

06 3, 5 / 2, 3, 6, 4, 5 / 2, 7 / 9, 4 / 1, 3, 5 / 1, 3

07 2, 4, 7 / 3, 3, 1, 1 / 2, 6 / 5, 2 / 9, 1 / 9

08 5, 3, 4 / 1, 2

09 3, 5, 2 / 1, 4 또는 1, 5, 4 / 3, 2

10 4, 5, 3 / 2, 1

11 4, 5, 1 / 2, 3 또는 2, 5, 3 / 4, 1

12 2, 4, 5 / 1, 3   **13** 4, 2, 5 / 3, 1

01 ♥는 1 또는 2이고 ☆이 될 수 있는 수는 4 이상입니다.

08 나누는 수의 일의 자리 숫자와 몫의 소수 둘째 자리 숫자의 곱이 8이 되도록 한 후 나머지 숫자를 배열해 봅니다.

10 나누는 수의 일의 자리 숫자와 몫의 소수 둘째 자리의 숫자의 곱이 3이 되도록 한 후 나머지 숫자를 배열해 봅니다.

01 1.23   **02** 1.32

03 1296, 1296, 162, 1.62

04 2, 3, 2 / 8 / 12 / 8
05 3, 5, 6 / 18 / 30 / 36
06 1.4   07 2.3
08 5.3   09 1.39
10 3.18   11 3.17
12 3.91   13 3.93
14 1.85
15 4 / 1, 6, 9, 2 / 9 / 8 / 1, 2 / 1, 2
16 8 / 4, 1, 8, 5 / 1, 8 / 1, 5 / 3, 5 / 3, 5
17 9 / 3, 4, 4, 4 / 2, 8 / 6, 4 / 3 / 1, 4 / 1, 4
18 6 / 5, 1, 6, 8 / 4, 8 / 3, 6 / 3, 2 / 4 / 4, 8
19 2, 1, 2, 1, 2 / 4, 2, 4, 2, 4 / 6, 3, 6, 3, 6 / 8, 4, 8, 4, 8

개념 **05** 몫이 1보다 작은 (소수)÷(자연수)의 계산 | 36쪽

01 0.8   02 0.9
03 0.18   04 0.92
05 65, 65, 5, 0.5
06 567, 567, 63, 0.63
07 0, 8, 2 / 48 / 12
08 0, 4, 9 / 32 / 72
09 0, 7, 8 / 84 / 96 / 96
10 0, 9, 4 / 144 / 64 / 64
11 0.25   12 0.96
13 0.12   14 0.85
15 0.26   16 0.29
17 0.42   18 0.54
19 0.97

사고력 기르기   Step 1 | 38쪽

01 0, 3, 4, 2 / 0, 5, 2 / 1 / 2, 5 / 4 / 2 / 1
02 0, 2, 3, 5 / 1, 6, 4, 5 / 1 / 2, 4 / 2 / 3 / 3, 5

03 0, 4, 7, 3 / 2, 6, 5 / 0 / 3 / 5 / 1, 5
04 0, 4, 8, 7 / 4, 3, 8, 3 / 3 / 7 / 7, 2 / 6 / 6, 3
05 3   06 4
07 6   08 8
09 8, 9   10 7, 8, 9
11 7, 8, 9   12 8, 9
13 6, 7, 8, 9   14 6, 7, 8, 9
15 1, 5   16 3, 5
17 1 ,2 / 2, 4 / 3, 6 / 4, 8

사고력 기르기   Step 2 | 40쪽

01 2, 4, 5, 7, 3   02 2, 5, 4, 7, 3
03 2, 7, 4, 5, 3   04 2, 7, 5, 4, 3
05 2, 4, 7, 5, 3   06 2, 5, 7, 4, 3
07 5, 0.97   08 7, 0.98
09 8, 0.99   10 4, 0.96
11 7.36   12 3.35
13 9.66   14 7.94
15 0, 9, 2 / 3, 5, 8 / 3, 5, 1 / 7, 8 / 7
16 0, 3, 7 / 3, 2, 7, 0 / 2, 1 / 1, 1 / 5, 1, 1

01 나누는 수는 3 또는 7이어야 합니다.

11 수직선 한 칸의 크기는 (8.44-5.2)÷6=0.54
이므로 ☆이 나타내는 소수는
5.2+0.54×4=7.36입니다.

실력 점검 | 42쪽

01 0.13   02 0.12
03 372, 372, 62, 0.62
04 0, 2, 8 / 18 / 72 / 72
05 0, 2, 3 / 38 / 57 / 57
06 0.82   07 0.81
08 0.56   09 0.58
10 0.99   11 0.58
12 0.92   13 0.77
14 0.65

15 0, 7, 5 / 5, 2, 5 / 4 / 3, 5 / 3
16 0, 4, 6 / 4, 1, 4 / 3 / 5, 4 / 5
17 7   **18** 9
19 8, 9   **20** 0, 1, 2, 3
21 6, 0.92   **22** 5, 0.98

개념 **06** 소수점 아래 0을 내려 계산하는
(소수)÷(자연수)의 계산 | 44쪽

01 1.26   **02** 1.42
03 1.25   **04** 1.35
05 660, 660, 165, 1.65
06 940, 940, 188, 1.88
07 1, 8, 5 / 2 / 16 / 10
08 2, 1, 5 / 8 / 4 / 20
09 1, 6, 2 / 5 / 31 / 30 / 10 / 10
10 2, 1, 5 / 24 / 18 / 12 / 60 / 60
11 1.15   **12** 1.25
13 1.28   **14** 1.45
15 5.45   **16** 1.48
17 3.45   **18** 11.85
19 0.265

사고력 기르기   Step 1 | 46쪽

01 1, 4, 5 / 8, 0 / 4 / 1, 8 / 1 / 2, 0
02 2, 3, 6 / 1, 8, 0 / 1 / 8 / 1 / 3, 0
03 3, 8, 5 / 3, 0, 8, 0 / 4 / 8 / 6 / 4, 0 / 4
04 7, 3, 5 / 4, 1, 0 / 2 / 2, 1 / 1 / 3, 0 / 3
05 2, 8 / 5, 4, 1, 0 / 4 / 4 / 1, 0 / 4, 0
06 9, 5 / 8, 4, 8, 0 / 7, 2 / 2, 8 / 4, 0 / 4
07 5, 2, 4, 4   **08** 5, 3, 2, 2
09 5, 1, 8, 5   **10** 4, 5, 2, 3
11 2, 3, 7, 3 / 6, 1, 2, 4

07 계산 결과가 소수 두 자리 수이므로 나누어지는 수의 소수점 아래 0을 내려 계산하는 계산식입니다. 따라서 ♥=5가 되고 이때 ☆=2, ▨=4, △=4 입니다.

---

10 ♥는 짝수이어야 하고 짝수 중 알맞은 것을 찾습니다.

사고력 기르기   Step 2 | 48쪽

01 3, 4, 5 / 2, 7, 6, 0 / 2 / 3, 6 / 3 / 4, 0 / 4
    3, 9, 5 / 3, 1, 6, 0 / 2 / 7, 6 / 7 / 4, 0 / 4
    8, 4, 5 / 6, 7, 6, 0 / 6 / 3, 6 / 3 / 4, 0 / 4
    8, 9, 5 / 7, 1, 6, 0 / 6 / 7, 6 / 7 / 4, 0 / 4
02 5, 1, 3, 2, 4   **03** 5, 3, 4, 6, 2
04 5, 5, 5, 5 / 2, 1, 1, 1, 1
    2, 2, 2, 2 / 5, 1, 1, 1, 1
    5, 5, 5, 5 / 4, 2, 2, 2, 2
    4, 4, 4, 4 / 5, 2, 2, 2, 2
    5, 5, 5, 5 / 6, 3, 3, 3, 3
    6, 6, 6, 6 / 5, 3, 3, 3, 3
    5, 5, 5, 5 / 8, 4, 4, 4, 4
    8, 8, 8, 8 / 5, 4, 4, 4, 4
05 3, 7, 9, 5, 7.58 / 3, 9, 7, 5, 7.94
    7, 3, 9, 5, 14.78 / 7, 9, 3, 5, 15.86
    9, 3, 7, 5, 18.74 / 9, 7, 3, 5, 19.46

02 소수점 아래 0을 내려 계산하는 계산식이므로 (나누는 수)×8의 끝 자리는 0입니다. 따라서 나누는 수는 5입니다.

04 ☆×△의 끝자리 숫자가 0이어야 합니다.

실력 점검 | 50쪽

01 4.15   **02** 2.12
03 1880, 1880, 235, 2.35
04 1, 3, 5 / 6 / 21 / 18 / 30 / 30
05 1, 2, 5 / 14 / 35 / 28 / 70 / 70
06 3.15   **07** 2.45
08 4.65   **09** 1.58
10 3.65   **11** 5.68

12 3.15   **13** 2.54

14 2.45

15 6, 5 / 2, 1, 9 / 1, 8 / 3, 9 / 3, 3, 0 / 3, 0

16 6, 5 / 3, 4, 6 / 3, 2 / 2, 6 / 2, 2, 0 / 2, 0

17 5, 1, 2, 4   **18** 8, 1, 4, 9

19 1, 3, 7, 5, 2.74 / 1, 7, 3, 5, 3.46
3, 1, 7, 5, 6.34 / 3, 7, 1, 5, 7.42
7, 1, 3, 5, 14.26 / 7, 3, 1, 5, 14.62

10 1, 1, 2, 2 / 1, 4, 2, 7
4, 1, 7, 2 / 4, 4, 7, 7

11 2, 1, 2, 1, 3, 0, 3 / 4, 2, 4, 2, 6, 0, 6
6, 3, 6, 3, 9, 0, 9

12 5, 4, 5, 4, 6, 0, 6 / 6, 3, 6, 3, 7, 0, 7
7, 2, 7, 2, 8, 0, 8 / 8, 1, 8, 1, 9, 0, 9

개념 07 몫의 소수 첫째 자리에 0이 있는 (소수)÷(자연수)의 계산 | 52쪽

01 1.08   **02** 2.09

03 7.05   **04** 2.08

05 3630, 3630, 605, 6.05

06 2149, 2149, 307, 3.07

07 1, 0, 5 / 5 / 25 / 25

08 2, 0, 7 / 6 / 21 / 21

09 3, 0, 4 / 36 / 48 / 48

10 4, 0, 2 / 72 / 36 / 36

11 6.02   **12** 8.07

13 6.07   **14** 2.04

15 4.03   **16** 2.01

17 4.05   **18** 5.08

19 5.07

사고력 기르기 | Step 1 | 54쪽

01 8, 0, 3 / 4, 1 / 8 / 1, 8 / 8

02 7, 0, 5 / 6, 3, 4 / 6 / 4, 5 / 4, 5

03 8, 0, 9 / 6, 6, 3 / 5, 6 / 6, 3

04 8, 0, 4 / 6, 4, 3, 2 / 4 / 2 / 3, 2

05 5, 7 / 7, 5   **06** 6, 8 / 8, 6

07 6, 7 / 7, 6   **08** 7, 9 / 9, 7

09 0, 1, 5, 4 / 0, 3, 5, 9
4, 1, 6, 4 / 4, 3, 6, 9
8, 1, 7, 4 / 8, 3, 7, 9

사고력 기르기 | Step 2 | 56쪽

01 2, 1, 6, 4, 0, 2 / 2, 4, 8, 4, 0, 6
2, 5, 6, 4, 0, 7 / 2, 6, 4, 4, 0, 8

02 8, 2, 7, 2, 0, 3 / 8, 3, 6, 2, 0, 4
8, 4, 5, 2, 0, 5 / 8, 5, 4, 2, 0, 6
8, 6, 3, 2, 0, 7 / 8, 7, 2, 2, 0, 8

03 4, 2, 1, 7, 0, 3 / 4, 2, 8, 7, 0, 4
4, 3, 5, 7, 0, 5 / 4, 5, 6, 7, 0, 8
4, 6, 3, 7, 0, 9

04 0, 7 / 1, 3, 3, 7 / 3, 3 / 7, 7, 7, 7
0, 1 / 7, 5, 1, 1 / 5, 1 / 1, 7, 1, 7
0, 3 / 9, 5, 7, 5 / 5, 7 / 5, 7, 5, 7

05 8, 5, 6, 4, 8   **06** 4, 6, 5, 3, 7

05 몫의 자연수 부분과 21의 곱이 두 자리 수이어야 하므로 몫의 자연수 부분은 4입니다.
나누는 수의 일의 자리 숫자와 몫의 소수 둘째 자리 숫자의 곱이 8이므로 몫의 소수 둘째 자리 숫자는 8입니다.

실력 점검 | 58쪽

01 3.05   **02** 4.02

03 612, 612, 306, 3.06

04 1, 0, 5 / 7 / 35 / 35

05 2, 0, 6 / 16 / 48 / 48

06 3.09   **07** 5.08

08 4.07   **09** 12.07

10 8.09   **11** 5.08

12 6.07   **13** 5.03

14 4.09

15 8, 0, 4 / 5, 6, 2, 8 / 6 / 2, 8 / 2
16 6, 0, 7 / 5, 4, 6, 3 / 4 / 6, 3 / 6
17 4, 8 / 8, 4　　**18** 5, 9 / 9, 5
19 8, 4, 9, 6, 7　　**20** 6, 9, 3, 4, 8

19 나누는 수의 일의 자리 숫자 **4**와 몫의 소수 둘째
자리 숫자의 곱의 일의 자리 숫자는 **8**이므로 몫의
소수 둘째 자리 숫자는 **7**입니다.

개념 08 (자연수)÷(자연수)의 몫을 소수
로 나타내기　　|　60쪽

01 2.5　　　　　**02** 1.4
03 2.25　　　　**04** 1.25
05 9, 45, 4.5　　**06** 11, 22, 2.2
07 17, 425, 4.25
08 14, 7, 175, 1.75
09 1, 5 / 6 / 30　　**10** 3, 2 / 15 / 10
11 3, 7, 5 / 12 / 30 / 28 / 20 / 20
12 3, 7, 5 / 36 / 90 / 84 / 60 / 60
13 2.5　　　　　**14** 9.5
15 1.5　　　　　**16** 2.8
17 6.25　　　　**18** 2.25
19 0.6　　　　　**20** 1.625
21 6.5

사고력 기르기　　**Step 1**|　62쪽

01 5　　　　　　**02** 8
03 25　　　　　**04** 25
05 4　　　　　　**06** 5
07 8　　　　　　**08** 4
09 12　　　　　**10** 17
11 3　　　　　　**12** 14
13 36　　　　　**14** 42
15 1, 2, 5 / 5, 3 / 1, 3 / 1, 2, 0 / 8 / 2, 0
/ 2, 0
16 2, 2, 5 / 1, 8, 6 / 6 / 2, 6 / 2, 4 / 0 /
1, 6 / 4, 0 / 4, 0

17 7, 5 / 2, 1 / 9 / 1, 8, 0 / 1, 6, 8 / 1,
2, 0 / 1, 2, 0
18 4, 5 / 0, 1, 7 / 0 / 0 / 8, 0 / 2, 0, 0 /
2, 0, 0
19 2.75　　　　**20** 11.5

01 $\dfrac{2}{□} = \dfrac{4}{10} = \dfrac{2}{5}$ 이므로 □=**5**입니다.

09 $\dfrac{□}{16} = \dfrac{75}{100} = \dfrac{3}{4} = \dfrac{12}{16}$ 이므로 □=**12**입니다.

사고력 기르기　　**Step 2**|　64쪽

01 4, 5 / 4　　　　1, 6 / 5
02 6, 8 / 5　　　　0, 5 / 8
03 5 / 4, 2, 3　　**04** 6 / 4, 2, 5
05 5 / 8, 4, 2
06 2, 5, 1, 5 / 1, 0, 0 / 1, 5, 0 / 1, 5, 0
3, 0, 3, 8 / 1, 2, 0 / 1, 8, 0 / 1, 8, 0
3, 5, 6, 1 / 1, 4, 0 / 2, 1, 0 / 2, 1, 0
4, 0, 8, 4 / 1, 6, 0 / 2, 4, 0 / 2, 4, 0
07 3, 5, 0, 3 / 1, 7, 5 / 2, 8, 0 / 2, 8, 0
4, 0, 3, 2 / 2, 0, 0 / 3, 2, 0 / 3, 2, 0
4, 5, 6, 1 / 2, 2, 5 / 3, 6, 0 / 3, 6, 0
5, 0, 9, 0 / 2, 5, 0 / 4, 0, 0 / 4, 0, 0

01 ♥는 **2**보다 크고 **6**보다 작은 자연수이어야 하므
로 **3, 4, 5**이고 이 중 **4, 5**일 때 주어진 식이 성
립합니다.

06 (나누는 수)×0.6은 자연수이므로 나누는 수는 **5**
의 배수입니다. **5**의 배수 중 조건에 맞는 수는
25, 30, 35, 40입니다.

실력 점검　　　　|　66쪽

01 0.75　　　　　**02** 1.25
03 7, 35, 3.5　　**04** 2, 4, 0.4
05 4, 2, 5 / 16 / 10 / 8 / 20 / 20
06 4, 7, 5 / 32 / 60 / 56 / 40 / 40

07	9.5	08	5.4
09	5.25	10	4.25
11	1.5	12	1.25
13	0.84	14	0.75
15	6.4		

16 6, 7, 5 / 2, 7 / 2, 3, 0 / 2, 0 / 2, 0

17 0, 8, 7, 5 / 1, 4 / 1, 2 / 1, 2, 0 / 1, 1 /
8, 0 / 8, 0

18	6.5	19	3.25
20	7 / 4, 2, 9	21	5 / 8, 4, 6

개념 09 비와 비율 | 68쪽

01 5, 7 / 5, 7 / 7, 5 / 5, 7
02 6, 9 / 6, 9 / 9, 6 / 6, 9
03 2, 5 / 2, 5 / 5, 2 / 2, 5
04 7, 8 / 7, 8 / 8, 7 / 7, 8

05	6, 5	06	4, 9
07	4, 7	08	10, 13
09	비, 기	10	비, 기
11	기, 비	12	비, 기

13 5 / 3 / $\frac{3}{5}$ / 0.6   14 10 / 7 / $\frac{7}{10}$ / 0.7

15 20 / 11 / $\frac{11}{20}$ / 0.55

16 25 / 19 / $\frac{19}{25}$ / 0.76

사고력 기르기   Step 1 | 70쪽

01 3, 6, 9, 16, 20, 24
02 5, 10, 15, 32, 40, 48
03 2, 6, 10, 49, 63, 77
04 4, 8, 16, 45, 63, 81
05 11, 22, 44, 35, 45, 50
06 9, 27, 36, 12, 16, 18
07 10, 20, 40, 18, 21, 30
08 12, 24, 48, 42, 49, 70

09 5, 10, 6, 8   10 6, 12, 15, 20
11 10, 30, 15, 21   12 9, 27, 25, 35
13 3, 12, 49, 63   14 5, 10, 45, 72
15 6, 18, 110, 132   16 7, 21, 105, 135

사고력 기르기   Step 2 | 72쪽

01 5, 6, 8, 10
02 8, 10, 16, 20, 25
03 15, 16, 18, 20, 24
04 4, 5, 6, 7, 8, 9, 10, 11, 12
05 3, 6, 9, 12, 15, 18, 21
06 9, 12, 15, 18, 21, 24

07	95, 76	08	80, 36
09	81, 24	10	90, 35

11 10, 8 / 16, 5 / 20, 4 / 40, 2
12 25, 9 / 45, 5 / 75, 3

01 $\frac{1}{4} < \frac{3}{♡} < \frac{3}{4}$, $\frac{3}{12} < \frac{3}{♡} < \frac{3}{4}$에서 ♡는 5,
6, 7, 8, 9, 10, 11이고 이 중 조건에 맞는 ♡는
5, 6, 8, 10입니다.

11 $\frac{16}{♡} = \frac{☆}{5}$에서 ♡×☆=80이므로
40×2=80, 20×4=80, 16×5=80,
10×8=80에서 ♡=40, 20, 16, 10,
☆=2, 4, 5, 8입니다.

실력 점검 | 74쪽

01 9, 10 / 9, 10 / 10, 9 / 9, 10
02 4, 9 / 4, 9 / 9, 4 / 4, 9

03	7, 10	04	6, 11
05	7, 8	06	11, 15
07	4, 5	08	17, 19

09 25 / 14 / $\frac{14}{25}$ / 0.56

10 50 / 27 / $\frac{27}{50}$ / 0.54

11 5, 10, 15, 24, 30, 36
12 4, 8, 12, 28, 35, 42
13 5, 10, 9, 12   14 9, 18, 21, 28
15 8, 10, 16   16 96, 60

개념 10 비율이 사용되는 경우 알아보기 | 76쪽

01 15, 5, 0.05 / 8, 4, 0.04
02 0.05, 0.04, 영수
03 $\frac{18}{100}$ (=0.18)   04 $\frac{15}{150}$ (=0.1)
05 지혜   06 $\frac{42}{600}$ (=0.07)
07 $\frac{48}{800}$ (=0.06)   08 맛나 과수원

사고력 기르기   Step 1 | 78쪽

01 2   02 3
03 0.2   04 1350
05 144   06 △
07 ○   08 ○
09 △   10 ○
11 20   12 40
13 60   14 66000
15 110400   16 4 km²
17 장수 마을, 늘봄 마을, 행복 마을, 사랑 마을
18 장수 마을

사고력 기르기   Step 2 | 80쪽

01 A   02 4, 2, 6
03 흰색 물감, 100 mL 이상
04 4 mL
05 1.25, 1.125, 0.95, 0.92
06 남자, 121   07 여자, 350
08 여자, 101, 1349

실력 점검 | 82쪽

01 80   02 75
03 한별   04 0.3
05 0.36   06 웅이
07 3   08 340
09 8   10 93000
11 A
12 14 mL, 30 mL, 8 mL

개념 11 백분율 알아보기 | 84쪽

01 37   02 69
03 44, 44, 44   04 85, 85, 85
05 100, 21   06 100, 93
07 33, 0.33   08 49, 0.49
09 56, 0.56   10 87, 0.87
11 80   12 70
13 52   14 62
15 74   16 98
17 $\frac{3}{20}$, 0.15   18 $\frac{7}{25}$, 0.28
19 $\frac{22}{25}$, 0.88   20 $\frac{19}{20}$, 0.95

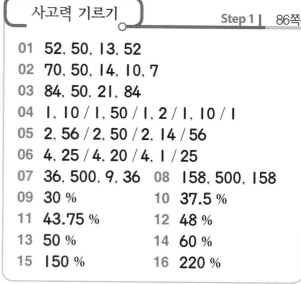

사고력 기르기   Step 1 | 86쪽

01 52, 50, 13, 52
02 70, 50, 14, 10, 7
03 84, 50, 21, 84
04 1, 10 / 1, 50 / 1, 2 / 1, 10 / 1
05 2, 56 / 2, 50 / 2, 14 / 56
06 4, 25 / 4, 20 / 4, 1 / 25
07 36, 500, 9, 36   08 158, 500, 158
09 30 %   10 37.5 %
11 43.75 %   12 48 %
13 50 %   14 60 %
15 150 %   16 220 %

사고력 기르기 · Step 2 | 88쪽

01	2, 3, 4	02	3, 4, 5, 6
03	2, 3, 4, 5, 6	04	7, 8, 9, 10
05	17, 18, 19, 20		
06	23, 24, 25, 26, 27		
07	50, 51, 52, 53, 54		
08	154, 155, 156, 157, 158		
09	613, 614, 615	10	25, 6
11	25, 8	12	20, 9
13	20, 11	14	4, 5
15	25, 62	16	5, 18
17	5, 21	18	125, 16
19	200, 71	20	400, 17
21	625, 128		

실력 점검 | 90쪽

01	35, 35, 35	02	100, 54
03	67, 0.67	04	89, 0.89
05	50	06	90
07	55	08	48
09	72	10	19
11	$\frac{9}{50}$, 0.18	12	$\frac{33}{50}$, 0.66
13	$\frac{17}{20}$, 0.85	14	$\frac{47}{50}$, 0.94
15	62.5 %	16	37.5 %
17	5, 6, 7, 8		
18	15, 16, 17, 18, 19, 20		
19	20, 17	20	40, 19

개념 12 백분율이 사용되는 경우 알아보기 | 92쪽

01	90, 90	02	85, 85
03	90, 10 / 85, 15 / 장갑		
04	80 %	05	75 %

06	영수	07	20 %
08	24 %	09	지혜

사고력 기르기 · Step 1 | 94쪽

01	15 g	02	300 g
03	6.25 %	04	12 %
05	225 g	06	1600원
07	12000원	08	6000원
09	5000원		
10	다정한은행, 늘푸른은행, 행복한은행		

사고력 기르기 · Step 2 | 96쪽

01	㉠ 550, ㉡ 25, ㉢ 8, ㉣ 15		
02	8.75 %	03	100 g
04	125 g	05	100 g
06	㉠ 120, ㉡ 68, ㉢ 8, ㉣ 40		
07	세탁기, 12만 원	08	102만 원
09	188만 원	10	10 %

실력 점검 | 98쪽

01	3 %	02	2 %
03	대박은행	04	50 %
05	45 %	06	5 %
07	강지혜	08	8000원
09	25000원	10	6400원
11	10, 48, 600	12	12.25 %

개념 13 비교하는 양, 기준량 구하기 | 100쪽

01	$\frac{4}{5}$, 8	02	0.7, 21
03	$\frac{8}{25}$, 250	04	0.8, 100

05	5	06	12
07	140	08	6
09	45	10	60
11	80	12	25
13	100	14	50
15	90	16	240

사고력 기르기
Step 1 | 102쪽

01	5	02	75
03	15	04	90
05	100	06	144
07	250	08	70
09	640	10	900
11	88	12	120
13	520	14	60
15	200	16	150
17	20 cm²	18	16 cm²
19	84 cm²	20	270 cm²
21	300 cm²	22	220 cm²
23	200 cm²	24	225 cm²

사고력 기르기
Step 2 | 104쪽

01	50 cm	02	3 m
03	93 cm	04	6 m 60 cm
05	21 cm		

06 달님 마을 30명, 별님 마을 80명

07 50명

08

마을	달님	해님	별님	꽃님	합계
학생 수(명)	30	50	80	90	250
비율(%)	12	20	32	36	100

09	500 g	10	2 m

실력 점검
| 106쪽

01	$\frac{3}{5}$, 18	02	0.7, 28

03	60, $\frac{3}{4}$, 45	04	100, 0.6, 60
05	$\frac{11}{25}$, 100	06	0.3, 220
07	40, $\frac{4}{5}$, 50	08	32, 0.4, 80
09	4	10	9
11	12	12	270
13	100	14	20
15	60	16	1200
17	60명, 140명		

18

마을	가	나	다	라	합계
학생 수(명)	60	80	120	140	400
비율(%)	15	20	30	35	100

개념 14 직육면체의 부피 구하기
| 108쪽

01	7, 3, 4, 84	02	3, 3, 9, 81
03	5, 5, 5, 125	04	72 cm³
05	160 cm³	06	96 cm³
07	60 cm³	08	28 cm³
09	105 cm³	10	64 cm³
11	216 cm³	12	729 cm³
13	1000 cm³		

사고력 기르기
Step 1 | 110쪽

01	3	02	12
03	16	04	7
05	160 cm³	06	200 cm³
07	175 cm³	08	434 cm³
09	10	10	9
11	10	12	3
13	7		

03 8	04 8
05 220 cm²	06 294 cm²
07 348 cm²	08 558 cm²
09 130 cm²	10 202 cm²
11 236 cm²	12 208 cm²
13 208 cm²	14 384 cm²

사고력 기르기

Step 2 | 112쪽

01 64	02 343
03 729	04 1728
05 36 cm²	06 81 cm²
07 144 cm²	08 225 cm²
09 10 cm	10 200 cm³
11 8배	12 27배
13 64배	14 125배

11 가로, 세로, 높이가 각각 2배씩이므로 부피는
2×2×2=8(배)입니다.

실력 점검

| 114쪽

01 4, 2, 3, 24	02 2, 2, 2, 8
03 300 cm³	04 512 cm³
05 225 cm³	06 343 cm³
07 240 cm³	08 1331 cm³
09 2	10 8
11 4	12 6
13 1728 cm³	14 64배

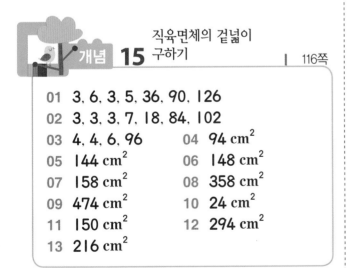

개념 15 직육면체의 겉넓이 구하기

| 116쪽

01 3, 6, 3, 5, 36, 90, 126	
02 3, 3, 3, 7, 18, 84, 102	
03 4, 4, 6, 96	04 94 cm²
05 144 cm²	06 148 cm²
07 158 cm²	08 358 cm²
09 474 cm²	10 24 cm²
11 150 cm²	12 294 cm²
13 216 cm²	

사고력 기르기

Step 1 | 118쪽

01 6	02 7

사고력 기르기

Step 2 | 120쪽

01 6	02 5
03 3	04 8
05 4	06 9
07 126 cm²	08 216 cm²
09 184 cm²	10 392 cm²
11 1780 cm²	

01 (432−96×2)÷40=6

02 (358−84×2)÷38=5

03 (164−40×2)÷28=3

04 (384−64×2)÷32=8

05 (128−24×2)÷20=4

06 (126−9×2)÷12=9

07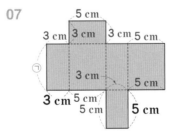

㉠의 길이는
$\{60-(3×6+5×6)\}÷2=6(cm)$
이므로 겉넓이는 $15×2+16×6=126(cm^2)$
입니다.

08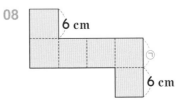

㉠의 길이는 $(84-6 \times 12) \div 2 = 6$(cm)
이므로 정육면체의 전개도입니다.
따라서 겉넓이는 $36 \times 6 = 216$(cm^2)입니다.

11
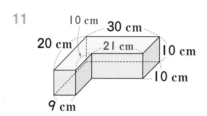

(밑넓이)$=20 \times 30 - 10 \times 21 = 390$($cm^2$)
(옆넓이)$=100 \times 10 = 1000$(cm^2)
(겉넓이)$=390 \times 2 + 1000 = 780 + 1000$
　　　　$= 1780$(cm^2)

실력 점검　　　　　| 122쪽

01	5, 6, 5, 5, 60, 110, 170		
02	8, 8, 6, 384	03	180 cm^2
04	220 cm^2	05	268 cm^2
06	150 cm^2	07	486 cm^2
08	864 cm^2	09	7
10	8	11	256 cm^2
12	128 cm^2	13	292 cm^2
14	384 cm^2		

14
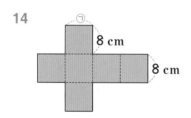

(㉠의 길이)$=(112-8 \times 10) \div 4 = 8$(cm)이
므로 정육면체의 전개도입니다.
따라서 겉넓이는 $8 \times 8 \times 6 = 384$($cm^2$)입니다.